KU-456-543

Modernes Russisch
Teil 1
Einführung in das Russische

von Helger Oleg Vogt

Texte und Übungen

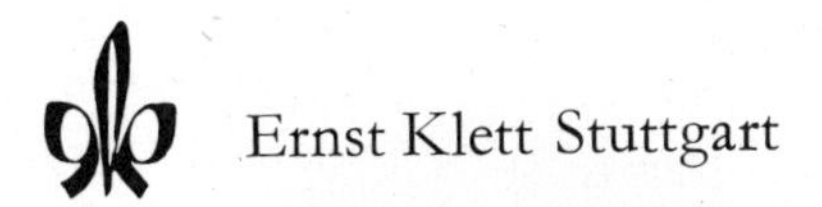

Modernes Russisch (von H. O. Vogt)

Teil 1	Einführung in das Russische	Klettbuch	5275
	Schallplatten	Klett-Nr.	52751
	Grammatisches Beiheft	Klettbuch	52752
	Lehrerheft	Klettbuch	52753
	Tonband	Klett-Nr.	52758
Teil 2	Lehr- und Übungsbuch	Klettbuch	5276
	Schallplatten	Klett-Nr.	52761
	Grammatisches Beiheft	Klettbuch	52762
	Lehrerheft	Klettbuch	52763
	Tonband	Klett-Nr.	52768
Teil 3	Lese- und Arbeitsbuch	Klettbuch	52774
	Schallplatten	Klett-Nr.	52771
	Lehrerheft	Klettbuch	52773
	Tonband	Klett-Nr.	52778
100 Texte		Klettbuch	5274
	Lehrerheft	Klettbuch	52743

Kurze russische Sprachlehre
(von Kirschbaum / Kretschmar) Klettbuch 5279

1. Auflage. 1 10 9 8 7 | 75 74 73 72

Alle Drucke dieser Auflage können im Unterricht nebeneinander benutzt werden. Die letzte Zahl bezeichnet das Jahr dieses Druckes.

Umschlagentwurf: Inge Gerasch, Stuttgart
Druck: Wiesbadener Graphische Betriebe GmbH, 62 Wiesbaden, Greifstraße 6. Printed in Germany.
ISBN 3-12-527500-8

INHALT

Vorkurs

* Benutze zur Erarbeitung dieser und aller weiteren Lektionen das „Grammatische Beiheft" Klettbuch 52752.

Hauptteil

Laute und Buchstaben

А а = a　　**К к** = k　　**М м** = m

Т т = t　　**О о** = o wie in „oft“

Н н = n wie in „nun“　　**Э э** = e wie in „Welt“

так so, **мак** Mohn, **такт, там** dort, **кот** Kater, **кто** wer, **он** er, **ток** Strom, **мат** Matte, **кант** Kante, **ма́ма, мо́кко** Mokka, **но́та** Note, **Ка́ма** (Nebenfluß der Wolga), **На́та, А́нна, а́том, Э́мма, э́то** dieses, **Анто́н, канта́та, кака́о, кана́т** Seil.

Im Russischen unterscheidet man betonte und unbetonte Vokale. Die betonten Vokale eines mehrsilbigen Wortes werden im Lehrbuch mit Akzenten (Betonungszeichen) versehen.

Das Deutsche kennt den Unterschied zwischen langen und kurzen Vokalen, vgl. z. B. das **a** in „sagen“ mit dem **a** in „Sack“.

Die betonten russischen Vokale haben gegenüber dem deutschen langen und kurzen Vokal eine mittlere Länge, vgl. z.B. Rat — **мат** — matt. Die unbetonten Vokale werden kurz gesprochen und nicht so deutlich artikuliert wie die betonten.

Zur Aussprache von **т** und **к** siehe auch Seite 14.

окно́ Fenster, **она́** sie, **оно́** es, **тома́т, Ока́** (Nebenfluß der Wolga).

Unbetontes o wird vor dem Akzent wie kurzes a gesprochen.

Lesestoffe

1. О́тто, ма́ма. Там О́тто. Там ма́ма: Там А́нна. Там Анто́н. Там На́та. Там Э́мма.

2. Кто э́то? Э́то ма́ма. Э́то А́нна. А э́то кто? Э́то Анто́н, а э́то Э́мма. Э́то кто? Э́то На́та, а э́то О́тто.

3. Э́то ко́мната, э́то окно́. Там окно́, там ко́мната. Там ко́мната, а там окно́.

4. Кто э́то? Э́то он, Анто́н. А э́то кто? Э́то она́, ма́ма. Там окно́. Окно́ там? Оно́ там.

5. Кто там? Там А́нна. Там На́та, а там Э́мма. Там ко́мната, там ма́ма. Э́то окно́. Э́то она́, А́нна, а э́то он, Анто́н. Э́то кто? Э́то О́тто, а э́то На́та. Там он, а там она́.

Schriftmuster

а А н Н Анна т Т Ната

м М Там мама, а там

Ната. Там Анна. Мама

там. о О Там Отто. к К

Кто там? Там Антон.

э Э Это комната, а это

окно. Это он, а это она.

Das russische Alphabet

Аа				
Кк	Мм	Нн	Оо	Тт
				Ээ

Grammatik

a) Der Artikel

ма́ма	die *oder* eine Mama, Mutter
окно́	das *oder* ein Fenster

Das Russische kennt weder einen bestimmten noch einen unbestimmten Artikel.

b) Das Präsens von „sein"

Кто там?	Wer ist dort?
Э́то О́тто.	Das ist Otto.
Там ко́мната.	Dort ist ein Zimmer.

Die Präsensformen von „sein" werden im Russischen meist fortgelassen.

c) Groß- und Kleinschreibung

Анто́н, Э́мма, ма́ма, ко́мната, окно́. Там окно́. Э́то Анто́н.

Eigennamen werden groß geschrieben. Auch am Satzanfang schreibt man groß.

Übungen

a) Schreibe die Texte 1 bis 5 der Lesestoffe ab.

b) Beantworte folgende Fragen. Muster: Э́то кто? Э́то ма́ма.

1. Э́то кто? (Анто́н, На́та)
2. А там кто? (А́нна, Э́мма)
3. Э́то ко́мната? (ко́мната)
4. Э́то окно́? (окно́)
5. Э́то ма́ма? (она́)

2 Laute und Buchstaben

Р р = r Das r wird mit der Zungenspitze gerollt.	**И и** = i wie in „sie“	**Д д** = d
Г г = g	**В в** = w	**С с** = ß wie in „naß“

Рома́н, Тама́ра, Ма́рта, Ни́на, Ири́на, И́на, кино́, карти́на Bild, **ра́ма** Rahmen, **ма́рка** Marke, **ка́рта, тра́ктор, мото́р; дом, ра́дио, Дон, мада́м; го́род, год** Jahr, **Ганг** Ganges, **гита́ра, гига́нт; вот, вода́** Wasser, **ва́нна, вино́** Wein, **Ви́ктор, карава́н; То́мас, Москва́, Минск, сам** selbst, **Сан** (Nebenfluß der Weichsel), **Сара́тов, самова́р** (russische Teemaschine), **матро́с, анана́с, ка́сса, ма́сса, ко́смос, космона́вт** Kosmonaut, **Марс, такси́.**

Lesestoffe

1. Там Рома́н, там Тама́ра. Э́то он, Рома́н. Э́то она́, Тама́ра. Там Ни́на и Ири́на. Э́то они́, Ни́на и Ири́на.

2. Кто э́то? Э́то до́ктор. Там дом. Э́то дом до́ктора. До́ктор до́ма. Э́то ко́мната до́ктора.

3. Ни́на говори́т:
— Э́то дом до́ктора?

Рома́н говори́т:
— Да, э́то дом до́ктора.

Ири́на говори́т:
— До́ктор до́ма?

Тама́ра говори́т:
— Да, он до́ма.
Вот ко́мната до́ктора.

4. Вот ка́рта. Э́то го́род? Да, э́то го́род Москва́. Вот го́род Минск. Вот го́род Омск, а вот го́род Томск.

5. Кто до́ма? Ма́ма, Ири́на и Рома́н до́ма. Вот ко́мната, вот окно́. Э́то ко́мната Рома́на. Там ка́рта. Э́то ка́рта Рома́на. Кто говори́т? Говори́т Рома́н. Он говори́т:
— Вот Москва́ и Минск, а вот Омск и Томск.

Schriftmuster

р Р Роман и И Нина
Ирина д Д доктор Доктор
дома. Ирина дома. Роман
дома. г Г город Там город.
в В вот Говорит Роман.
Говорит Нина. Вот карта.
с С Москва Вот Москва.
Сан Там Сан. Минск

Das russische Alphabet

Аа	Вв	Гг	Дд				Ии
Кк	Мм	Нн	Оо	Рр	Сс	Тт	
						Ээ	

Grammatik

a) Das Substantiv

Das Geschlecht

до́ктор	der Doktor
ка́рта	die Karte
окно́	das Fenster

Das Geschlecht der russischen Substantive kann man häufig aus der Endung ersehen:

Substantive, die auf einen Konsonanten ausgehen, sind überwiegend männlich.

Substantive, die auf **-a** ausgehen, sind weiblich.

Substantive, die auf **-o** ausgehen, sind sächlich.

го́род	die Stadt
дом	das Haus
ко́мната	das Zimmer

Das Geschlecht der russischen Substantive stimmt nicht immer mit dem Geschlecht der deutschen überein.

Der Genitiv Singular: männlich

Э́то дом до́ктора. Das ist das Haus des Doktors.

Der Genitiv Singular männlicher Substantive endet sehr häufig auf **-a**.

b) Zur Zeichensetzung

Рома́н говори́т:
— Э́то ко́мната до́ктора?
Ири́на говори́т:
— Да, э́то ко́мната до́ктора.

Beginnt im Russischen eine direkte Rede mit einem Absatz, dann setzt man häufig vor die direkte Rede einen Gedankenstrich. Der Gebrauch von Anführungszeichen (« » *oder* „ “) ist möglich.

Übungen

a) Schreibe nacheinander die Texte 1 bis 5 der Lesestoffe ab.

b) Beantworte bejahend folgende Fragen in ganzen Sätzen:

1. Ни́на до́ма? 2. Э́то ко́мната Рома́на? 3. Э́то Тама́ра? 4. Э́то ка́рта Анто́на? 5. Говори́т до́ктор? 6. Э́то го́род Москва́? 7. Э́то го́род Минск? 8. Говори́т Ири́на? 9. Там окно́ до́ма? 10. Тама́ра и Ири́на там?

c) Übersetze:

1. Dort ist ein Fenster. 2. Wer ist das? 3. Das ist Anton, das ist er. 4. Das ist Anna, das ist sie. 5. Sie ist dort. 6. Nina und Irina sind zu Hause. 7. Irina sagt: „Ist dies Romans Zimmer? Ist Roman zu Hause?“ 8. Nina sagt: „Ja, Roman ist zu Hause.“ 9. Hier ist eine Karte. 10. Dort ist die Stadt Minsk, dort sind Omsk und Tomsk.

Laute und Buchstaben

3

У у = u wie in „Hut“ **Ч ч** = tsch wie in „Peitsche“

Е е (im Wort- und Silbenanlaut) = je wie in „jetzt“ **е** (nach weichen Konsonanten) = e

Л л (hart) = l etwa wie in engl. „call“ **П п** = p

тут, друг, у́тро Morgen, **куро́рт, какаду́, Рур, Сума́тра, Уга́нда, Тун́ис; Чика́го, Чита́, Камча́тка, час** Stunde; **Ерева́н, еда́** Essen, **нет, Днестр, река́, где, стена́, ку́чер, кино́, карти́на, Ники́та, Ни́на, Ири́на, ра́дио, дире́ктор, те́ма, кекс, ма́стер** Meister.

Konsonanten, die vor **и** und **е** stehen, werden mit einem j-Beiklang gesprochen. Sprich: **Ники́та** = [Nʲikʲita], **карти́на** = [kartʲina]; **нет** = [nʲet], **где** = [gdʲe], **река́** = [rʲeka]. Konsonant und j-Beiklang verschmelzen zu einem Laut. Man bezeichnet diese Konsonanten als weich, im Unterschied zu den harten Konsonanten, die keinen j-Beiklang haben.

Bei der Artikulation eines weichen Konsonanten muß man neben der normalen Bildungsweise gleichzeitig noch den Zungenrücken gegen den vorderen harten Gaumen drücken.

Ки́ев, чита́ет, стои́т.

Im Silbenanlaut werden **е** wie [je] und **и** wie [ji] gesprochen. Sprich: **стои́т** = [sta/jit].

Во́лга, класс, кило́, кана́л, стол, стул, Ту́ла, Ура́л, лави́на, Ла́ра, мармела́д; Еле́на, Ли́да, котле́та, на сту́ле, на столе́.

Sowohl das harte l als auch das weiche l unterscheiden sich deutlich vom deutschen l. Man übt das harte l, indem man ein deutsches l bildet und gleichzeitig versucht, ein u auszusprechen. Bei der Bildung des weichen l muß man die vordere Zungenhälfte gegen den Vordergaumen drücken.

па́рта, ла́мпа, па́па, Днепр, пра́вда Wahrheit, **пу́динг, пена́л, Пана́ма, Пами́р, капита́н, о́пера, спорт, плане́та.**

Im Deutschen werden p, t, k vor einem betonten Vokal häufig mit einem folgenden h-artigen Hauch ausgesprochen, z. B. Paß = [P^{h}aß]; Tasse = [T^{h}asse]; Kasse = [K^{h}asse]. Im Russischen werden **п, т, к** stets unbehaucht gesprochen.

Lesestoffe

1. Ива́н — друг Рома́на. Анто́н — друг Ива́на. Тут ко́мната Ива́на. Э́то ко́мната Анто́на.

2. Что э́то? Э́то дом до́ктора. Что э́то? Э́то окно́ до́ма. А э́то что? Э́то коридо́р. Что тут? Тут виси́т ка́рта.

3. Москвá — э́то гóрод, Ереван — гóрод, Ки́ев — гóрод, Читá — гóрод. Дон — э́то рекá. Где кáрта? Вот там виси́т кáрта. Где на кáрте гóрод Читá? Вот тут гóрод Читá. Э́то гóрод Ереван? Да, вот на кáрте гóрод Ереван. Где на кáрте рекá Днестр? Вот Днестр. Э́то рекá Днестр? Нет, э́то Дон.

4. Тут коридóр, а там класс. В клáссе Ромáн. Он читáет. В клáссе виси́т лáмпа. Там окнó, а там стенá. Вот пáрта и пенáл. Где кáрта? Кáрта виси́т на стенé клáсса. Там доскá. Вот стул и стол. Кто в клáссе? В клáссе Елéна, Ли́да и Ири́на. Тамáра стои́т в коридóре. Ли́да говори́т:

— Где карти́на? Онá не виси́т на стенé клáсса.

Елéна говори́т:
— Да, где карти́на?
В коридóре стои́т Тамáра, онá говори́т:
— Тут карти́на, онá виси́т в коридóре.

5.

Где Ивáн?	Ивáн стои́т в клáссе. Он читáет.
Где Ромáн?	Ромáн не стои́т в клáссе, он стои́т в коридóре.
Где Антóн?	Антóн стои́т в кóмнате дóктора.
Где Ни́на и Елéна?	Они́ дóма. Ни́на читáет, Елéна не читáет.
Что стои́т в клáссе?	В клáссе пáрта, стол, стул и доскá.
Что там на столé?	На столé пенáл.
Что виси́т на стенé клáсса?	На стенé клáсса виси́т карти́на.
Что там на доскé?	Ивáн читáет на доскé: Ереван, Ки́ев, Читá; Дон, Днестр.
Кто говори́т?	Ли́да говори́т.
Говори́т Елéна?	Нет, онá не говори́т.
Где Тамáра?	Тамáра в кóмнате, онá читáет.

Schriftmuster

у У тут Украина ч Ч Чита
Там Чита, тут Украина.
что е Е читает Ирина
читает. Ереван Там Ереван.
нет л Л лавина Ленинград
Вот Ленинград. п П парта
Тут парта. Памир

Das russische Alphabet

Аа		Вв	Гг	Дд	Ее				Ии
Кк	Лл	Мм	Нн	Оо	Пп	Рр	Сс	Тт	Уу
		Чч						Ээ	

Grammatik

a) Das Substantiv *Der 6. Fall (Präpositiv) Singular*

на ка́рте	auf der Karte	в кла́ссе	in der Klasse
на стене́	an der Wand	в коридо́ре	in dem Korridor
на столе́	auf dem Tisch	в ко́мнате	in dem Zimmer

Das Russische kennt 6 Fälle (Kasus). Nach den Präpositionen **на** und **в** steht, wenn sie auf die Frage „wo?" („**где?**") antworten, der 6. Fall. Dieser wird, da er nur in Verbindung mit Präpositionen vorkommt, Präpositiv genannt. Man kann ihn auch Lokativ (Ortsfall) nennen, weil er häufig zur Angabe eines Ortes gebraucht wird. Der Präpositiv endet im Singular fast immer auf **-е**.

b) Das Verb

Die 3. Person Singular des Präsens

он, она́, оно́	говори́т виси́т	он, она́, оно́	чита́ет стои́т

Die 3. Person Singular des Präsens der russischen Verben hat wie im Deutschen die Endung **-т**.

Das verneinte Verb

Он не чита́ет. Er liest nicht.

Die Verneinungspartikel **не** steht immer vor der Verbform.

c) Zur Zeichensetzung

Ки́ев — го́род.
Ива́н — друг Рома́на.
Дон — э́то река́.

Wenn Subjekt und Prädikat durch ein Substantiv ausgedrückt werden, dann steht zwischen ihnen ein Gedankenstrich. Der Gedankenstrich wird auch vor **э́то** gesetzt.

Übungen

a) Schreibe nacheinander die Texte 1 bis 4 der Lesestoffe ab.

b) Beantworte folgende Fragen in ganzen Sätzen:

1. Где Ири́на? (in der Klasse)
2. Где Рома́н? (im Zimmer, im Korridor)

3. Кто стойт в кла́ссе? (Helene)
4. Что там на доске́? (Kiew, Jerewan)
5. Что виси́т на стене́ кла́сса? (ein Bild, eine Karte)
6. Кто стойт в коридо́ре? (Iwan)
7. Где виси́т карти́на? (im Zimmer, im Korridor)
8. Кто говори́т? (Lida).

c) Übersetze:

1. Wo ist das Haus des Arztes? 2. Wo ist das Zimmer? 3. Wo ist die Klasse? 4. Wo ist das Fenster? 5. Hier an der Wand hängt eine Karte, dort hängt ein Bild. 6. Wo ist auf der Karte die Stadt Jerewan? 7. Hier ist sie. 8. Ist das der Fluß Dnestr? 9. Nein, das ist der Don, aber dies hier ist der Dnestr. 10. Iwan sagt: „Wo ist das Bild?“ 11. Roman sagt: „Das Bild hängt im Zimmer.“ 12. Lida ist im Zimmer, sie liest. 13. Anton steht im Korridor. 14. Wo ist der Stuhl? 15. Der Stuhl steht im Zimmer. 16. Was steht (ist) dort an der Tafel? 17. An der Tafel steht: Tschita. 18. Anton ist Romans Freund. 19. Die Lampe hängt in der Klasse. 20. Hier steht eine Schulbank. 21. Das ist Antons Federkasten. 22. Was steht im Zimmer? 23. Dort im Zimmer steht ein Tisch.

4 Laute und Buchstaben

Ш ш = sch **Ж ж** = [g] wie in „Etage“; **ж** ist ein stimmhaftes **ш**.

ы = i etwa wie in „Wirt“ **Й й** = j

Ната́ша, на́ша, шко́ла, ча́шка Tasse, **пунш, шпина́т, Шмидт; журна́л, то́же, жук** Käfer, **жара́** Hitze;

Иртьíш, мы, вы, дым Rauch, **Крым, кры́ша** Dach, **сын** Sohn, **вы́мпел** Wimpel.

Man bildet das **ы**, indem man mit der Lippenstellung des i ein u zu sprechen sucht. Die Lippen dürfen weder gerundet noch vorgestülpt werden. **ы** kommt nur nach harten Konsonanten vor.

лежи́т, спра́шивает, маши́на, машини́ст, Жито́мир (Stadt in der Ukraine), **жест** Geste, **шест** Stange.

ж und **ш** sind stets harte Konsonanten. Nach **ж** und **ш** spricht man **и** und **е** wie [ы] und [э]. Sprich: лежи́т = [ле́жы́т], маши́на = [машы́на]; жест = [жэст], шест = [шэст].

Дуна́й Donau, **мой, твой, май, Андре́й, Алексе́й, Кита́й** China, **Толсто́й, лейтена́нт, кле́йстер.**

й ist ein Konsonant, der in russischen Wörtern nur nach Vokalen vorkommt. (Näheres zur Aussprache des **е** siehe im „Grammatischen Beiheft", S. 8).

В‿кла́ссе Рома́н и Тама́ра. Ива́н стои́т в‿коридо́ре. Ната́ша в‿шко́ле.

Ein stimmhafter Konsonant wird vor einem stimmlosen in der Regel selbst stimmlos. Sprich: **в‿к** = [f‿k] = **в‿кла́ссе**; **в‿ш** = [f‿sch] = **в‿шко́ле**.

Lesestoffe

1. Э́то наш дом. Там на́ше окно́. Вот коридо́р, э́то на́ша ко́мната. В ко́мнате стои́т стол. Там стои́т стул. Вот наш дива́н. На стене́ виси́т карти́на. Тут на́ша ла́мпа.
2. В ко́мнате сиди́т Ли́да. Она́ сиди́т на сту́ле и чита́ет. Она́ чита́ет журна́л. Э́то журна́л Ива́на.
   Где Ива́н? Ива́н в шко́ле. Где Ната́ша? Ната́ша то́же в шко́ле.
   На дива́не сиди́т Еле́на. Она́ не чита́ет, она́ слу́шает ра́дио. Говори́т Москва́. Рома́н то́же слу́шает ра́дио.
3. Э́то он, Рома́н. Э́то она́, Ли́да. Э́то они́, Рома́н и Ли́да.
   Э́то мы, Ири́на, Ната́ша, Ива́н и Анто́н.
   Э́то вы, Еле́на, Тама́ра, Андре́й и Алексе́й.
   Мы стои́м в коридо́ре до́ма. Вы сиди́те в ко́мнате на дива́не. На столе́ лежи́т журна́л, стои́т радиоаппара́т. Вы чита́ете журна́л и слу́шаете ра́дио.
   Андре́й — мой друг. Алексе́й — твой друг.

4. Мы говори́м:

— Там ва́ша шко́ла. Э́то ваш класс, а э́то наш класс.

Мы спра́шиваем:

— Где ва́ша ка́рта СССР?

Вы отвеча́ете:

— На́ша ка́рта СССР виси́т в кла́ссе на стене́.

Вы чита́ете на ка́рте:

— Москва́, Ленингра́д, Ки́ев, Минск, Днепропетро́вск, Сара́тов, Майко́п; Днестр, Днепр, Дон, Во́лга, Ура́л, Ирты́ш, Ле́на, Аму́р.

Ната́ша спра́шивает:

— Где лежи́т го́род Москва́?

Андре́й отвеча́ет:

— Москва́ лежи́т в СССР.

Алексе́й спра́шивает:

— Где лежи́т го́род Ки́ев?

Мы отвеча́ем:

— Ки́ев то́же лежи́т в СССР. Ки́ев лежи́т на реке́ Днепре́.

5.

Алексе́й, э́то твой журна́л?	Да, э́тот журна́л — мой.
Что тут лежи́т на столе́?	На столе́ лежи́т мой пена́л.
Э́то кто?	Э́то Андре́й, он мой друг.
А́нна и Ива́н до́ма?	Да, они́ до́ма, они́ в ко́мнате. Ива́н чита́ет журна́л, а А́нна слу́шает ра́дио.
Где ва́ша доска́?	Доска́ виси́т в кла́ссе на стене́.
Что там на доске́?	Мы чита́ем на доске́: Майко́п, Ура́л, Ирты́ш.
Ната́ша, э́то твой стул?	Нет, э́тот стул — не мой. Э́то стул Анто́на.
Э́то ваш дом?	Да, э́тот дом — наш.
Э́то твой радиоаппара́т?	Да, э́то мой радиоаппара́т.

Schriftmuster

ш Ш Наташа Шмидт Там
Наташа. ж Ж жук
Житомир ы дым й Алексей
мой Там Алексей. Наташа
и Алексей дома. На карте
Житомир. Журнал лежит
на столе. Иртыш Крым

Das russische Alphabet

Аа		Вв	Гг	Дд	Ее		Жж		Ии	Йй
Кк	Лл	Мм	Нн	Оо	Пп	Рр	Сс	Тт	Уу	
		Чч	Шш			ы		Ээ		

Grammatik

a) Das Pronomen *Das Possessivpronomen (Geschlecht)*

наш дом
на́ша ко́мната
на́ше окно́

ваш класс
ва́ша шко́ла
ва́ше окно́

Wie im Deutschen richten sich die Endungen der Possessivpronomen nach dem Geschlecht der Substantive, zu denen sie gehören.

b) Das Verb

Die 3. Person Singular und die 1. und 2. Person Plural des Präsens (1. und 2. Konjugation)

Ромáн говори́т. Тут виси́т кáрта. Он читáет. Тамáра стои́т в коридóре. В кóмнате сиди́т Ли́да. Онá слу́шает рáдио. Мы стои́м в коридóре. Вы сиди́те в кóмнате. Мы говори́м. Мы спрáшиваем. Вы отвечáете.

Stellen wir die bisher vorgekommenen Verbformen nach Person und Zahl zusammen, so ergibt sich folgende Übersicht:

он, онá, онó говори́т	он виси́т	он читáет
мы говори́м	мы виси́м	мы читáем
вы говори́те	вы виси́те	вы читáете
он стои́т	он сиди́т	он слу́шает
мы стои́м	мы сиди́м	мы слу́шаем
вы стои́те	вы сиди́те	вы слу́шаете
он лежи́т	он спрáшивает	он отвечáет
мы лежи́м	мы спрáшиваем	мы отвечáем
вы лежи́те	вы спрáшиваете	вы отвечáете

Nach den in den Personalendungen enthaltenen Vokalen (е oder и) unterscheidet man 2 Konjugationsklassen, in welche sich fast alle russischen Verben einordnen lassen. Beispiele:

1. oder е-Konjugation	2. oder и-Konjugation
он читá — ет	он говор — и́т
мы читá — ем	мы говор — и́м
вы читá — ете	вы говор — и́те

Übungen

a) Schreibe nacheinander die Texte 1 bis 4 der Lesestoffe ab.

b) Schreibe die Fragen ab und beantworte sie in ganzen Sätzen:

1. Кто говори́т?	(mein Freund Anton, dein Freund Iwan, unser Freund Andrei, euer Freund Alexei)
2. Что стои́т в кла́ссе?	(ein Tisch, ein Stuhl, eine Tafel, eine Schulbank)
3. Что виси́т на стене́?	(ein Bild, eine Karte der UdSSR)
4. Что стои́т в ко́мнате?	(unser Diwan, ein Stuhl, ein Tisch, eine Lampe, ein Radioapparat)
5. Что лежи́т на столе́?	(mein Federkasten, deine Zeitschrift, unser Bild)
6. Что стои́т на столе́?	(unser Radioapparat, unsere Lampe)
7. Кто сиди́т в ко́мнате?	(Helene, Nina, mein Freund Roman, euer Freund Andrei)

c) Übersetze:

1. Natascha hört Radio. 2. Mein Freund Alexei hört auch Radio. 3. Lida liest eine Zeitschrift. 4. Wir sitzen auf dem Diwan, hören Radio und lesen. 5. Nina fragt: „Wo liegt die Stadt Dnepropetrowsk?“ 6. Irina antwortet: „Dnepropetrowsk liegt in der UdSSR.“ 7. Wir fragen: „Wo liegt Kiew?“ 8. Ihr antwortet: „Die Stadt Kiew liegt auch in der UdSSR, sie liegt am Dnepr.“

Laute und Buchstaben

5

ь = weiches Zeichen

Dem weichen Zeichen, das nur nach Konsonantbuchstaben erscheint, entspricht kein selbständiger Laut. **ь** gibt an, daß der vor ihm stehende Konsonant weich gesprochen werden muß.

учи́тель, о́чень, культу́ра, пальто́ Mantel, **Ма́льта** Malta, **день** Tag, **О́льга, па́льма, дуэ́ль, капельме́йстер, ла́герь.**

Ю ю (im Wort- und Silbenanlaut) = ju wie in „Juli“

Nach weichen Konsonanten wird **ю** wie u gesprochen.

Я я (im Wort- und Silbenanlaut) = ja wie in „jagen“

Nach weichen Konsonanten wird **я** wie a gesprochen.

Х х = ch hart: wie in „ach“; weich: etwa wie in „ich“

Ц ц = z

Ю́ра, Аню́та, чита́ют, слу́шают, начина́ют, спра́шивают, отвеча́ют, юг Süden, **ию́нь** Juni, **ию́ль** Juli; **Я́лта** (Hafen am Schwarzen Meer), **А́ня, Яма́йка, ягуа́р, ня́ня** Kinderfrau, **Югосла́вия, Япо́ния, стоя́т, говоря́т, вися́т, сидя́т.**

Татья́на.

Im Wortinnern trennt **ь** den von ihm erweichten Konsonanten von der folgenden Lautgruppe. Sprich: Tatj/jana.

хорошо́, пло́хо, ха́ос, хо́лод Kälte, **хо́хот** Gelächter, **хара́ктер, ку́хня** Küche, **холм** Hügel, **хор, э́хо, Ха́рьков** (Stadt in der Ukraine), **ах, те́хника, Херсо́н** (Hafen am Dnepr), **Хива́** (Stadt in Usbekistan), **Хе́льсинки, парикма́хер** Friseur;

учи́тельница, по-неме́цки, царь, цвет Farbe, **конце́рт, Цейло́н** Ceylon, **цеме́нт, цена́** Preis, **цирк** Zirkus, **цыга́н** Zigeuner, **цили́ндр, ка́нцлер, центр** Zentrum.

Ц ist stets hart. Ein nachfolgendes **е** wird deshalb wie [э] in **э́то**, ein nachfolgendes **и** wie [ы] gesprochen: центр = [цэнтр], цирк = [цырк].

Lesestoffe

1. Наш учи́тель — Андре́й Рома́нович Смирно́в. Мы сиди́м в кла́ссе и слу́шаем, что говори́т учи́тель.
Учи́тель спра́шивает, а мы отвеча́ем. Андре́й Рома́нович спра́шивает:
— Кто чита́ет э́тот текст?
Ю́ра отвеча́ет:
— Я чита́ю э́тот текст.
Ю́ра начина́ет чита́ть. Он чита́ет хорошо́. Андре́й Рома́нович говори́т:
— Хорошо́, Ю́ра, ты чита́ешь о́чень хорошо́.
Пото́м чита́ет Аню́та. Она́ то́же чита́ет по-ру́сски. Она́ хорошо́ чита́ет. Андре́й Рома́нович говори́т:
— Аню́та, ты то́же чита́ешь о́чень хорошо́.
А пото́м начина́ет чита́ть А́ня. А́ня чита́ет пло́хо. Учи́тель говори́т:
— А́ня, ты пло́хо чита́ешь по-ру́сски. Аню́та и Ю́ра чита́ют уже́ хорошо́.

2. Как ты говори́шь по-ру́сски? — Я пло́хо говорю́, а мой друг Ю́ра уже́ говори́т хорошо́.
Ири́на уже́ хорошо́ говори́т по-ру́сски? — Да, Ири́на говори́т уже́ о́чень хорошо́.
А как говори́т Аню́та? — Она́ то́же хорошо́ говори́т. Ю́ра и Аню́та уже́ хорошо́ говоря́т по-ру́сски.
Чита́ет А́ня уже́ по-ру́сски? — Да, она́ уже́ чита́ет.

3. На́ша учи́тельница — А́нна Ива́новна Гра́нина. Она́ говори́т по-ру́сски и о́чень хорошо́ по-неме́цки. А́нна Ива́новна стои́т в кла́ссе и говори́т:
— Мы начина́ем чита́ть по-неме́цки. А́ня, ты начина́ешь.
А́ня начина́ет чита́ть; пото́м чита́ют Ива́н, Ю́ра, Еле́на, Татья́на, Ли́да, Аню́та и Алексе́й. Татья́на и Аню́та уже́ о́чень хорошо́ чита́ют и говоря́т по-неме́цки.

4. Ю́ра, кто твой учи́тель?

Мой учи́тель — Андре́й Рома́нович Смирно́в. Андре́й Рома́нович о́чень хорошо́ говори́т по-неме́цки.

А́ня, кто твоя́ учи́тельница?

Моя́ учи́тельница — А́нна Ива́новна Гра́нина. А́нна Ива́новна уже́ в кла́ссе.

Кто э́тот учи́тель?

Э́то наш учи́тель Ива́н Ива́нович Петро́в.

Кто э́та учи́тельница?

Э́то на́ша учи́тельница Еле́на Анто́новна Попо́ва.

Где Анюта и Татья́на?

Они́ стоя́т в коридо́ре. Они́ говоря́т по-неме́цки.

Где Алексе́й и Ива́н?

Они́ сидя́т в ко́мнате и слу́шают ра́дио.

Э́то твоя́ ко́мната?

Нет, э́та ко́мната — не моя́. Э́то ко́мната Анто́на, а там моя́ ко́мната.

Schriftmuster

ь учитель Вот учитель. ю

Ю читают Юра я Я Аня

Ялта Юра и Аня читают.

х Х хорошо Хива Они

читают хорошо. ц Ц по-

немецки Андрей и Юра

читают по-немецки.

Цейлон цена цирк

Das russische Alphabet

Аа		Вв	Гг	Дд	Ее		Жж		Ии	Йй
Кк	Лл	Мм	Нн	Оо	Пп	Рр	Сс	Тт	Уу	
Хх	Цц	Чч	Шш			ы	ь	Ээ	Юю	Яя

Grammatik

a) Das Verb

Das Präsens (1. und 2. Konjugation)

Я чита́ю э́тот текст. Ты чита́ешь о́чень хорошо́. Аню́та и Ю́ра чита́ют то́же хорошо́. Я говорю́ по-ру́сски. Ты говори́шь по-неме́цки. Ю́ра и Аню́та уже́ хорошо́ говоря́т по-неме́цки.

	1. oder е-Konjugation	2. oder и-Konjugation
Singular:	я чита́ — ю ты чита́ — ешь он чита́ — ет	я говор — ю́ ты говор — и́шь он говор — и́т
Plural:	мы чита́ — ем вы чита́ — ете они́ чита́ — ют	мы говор — и́м вы говор — и́те они́ говор — я́т

Merke: Die Endung der 2. Person Singular des Präsens geht auf **-шь** aus. Das **-шь** wird stets hart gesprochen (wie **-ш**).

Die Endung des Infinitivs

Ю́ра начина́ет чита́ть. Мы начина́ем говори́ть.

Der Infinitiv der meisten russischen Verben endet auf **-ть**. Zu beachten ist, daß im Satz dem russischen reinen Infinitiv häufig der deutsche Infinitiv mit „zu" entspricht.

b) Der Vatername auf -ович; -овна

Наш учи́тель — Андре́й Рома́нович Смирно́в. Андре́й Рома́нович хорошо́ говори́т по-неме́цки. На́ша учи́тельница — А́нна Ива́новна Гра́нина. А́нна Ива́новна стои́т в кла́ссе.

Die russischen Personennamen bestehen aus einem Vornamen, dem Vaternamen und dem Familiennamen:

	Vorname	Vatername	Familienname
männlich	**Андре́й**	**Рома́нович**	**Смирно́в**
weiblich	**А́нна**	**Ива́новна**	**Гра́нина**

Wenn Russen sich persönlich kennen, so reden sie einander gern mit Vor- und Vaternamen an. Diese Anrede bewahrt durchaus die höfliche Sie-Form, so daß z. B. Schüler ihre Lehrer und Lehrerinnen üblicherweise mit Vor- und Vaternamen anreden. Der Vatername wird von dem Vornamen des Vaters der angeredeten Person abgeleitet:

Vorname des Vaters	Vatername bei Männern	Vatername bei Frauen
Ива́н	**Ива́нович** (Sohn des Iwan)	**Ива́новна** (Tochter des Iwan)

Geht der Vorname des Vaters auf einen harten Konsonanten aus, so endet die männliche Form des Vaternamens **-ович**, die weibliche **-овна**.

Übungen

a) Schreibe nacheinander die Texte 1 und 3 der Lesestoffe ab.

b) Konjugiere im Präsens:

чита́ть, говори́ть, слу́шать, спра́шивать, отвеча́ть, начина́ть.

c) Beantworte in ganzen Sätzen die Fragen zu den Texten 1 und 3 der Lesestoffe:

1. Кто наш учи́тель? 2. Где мы сиди́м? 3. Что спра́шивает учи́тель? 4. Кто отвеча́ет? 5. Как чита́ет Ю́ра? 6. Что говори́т учи́тель? 7. Как чита́ет Аню́та? 8. Как чита́ет А́ня? 9. Кто ва́ша учи́тельница? 10. Где стои́т учи́тельница? 11. Что она́ говори́т? 12. Кто начина́ет чита́ть? 13. Как чита́ют Татья́на и Аню́та?

d) Übersetze:

1. Wir lesen diesen Text. 2. Andrei Romanowitsch spricht gut deutsch. 3. Anja beginnt (zu) lesen. 4. Das ist deine Klasse. 5. Du fragst, wir antworten. 6. Natascha und Alexei sprechen schon sehr gut deutsch. 7. Du sprichst schlecht. 8. Otto spricht russisch, er spricht schlecht. 9. Lida und Tatjana beginnen (zu) sprechen, dann spricht Iwan. 10. Wie liest Tamara? 11. Sie liest sehr gut. 12. Wir sprechen deutsch, ihr sprecht russisch. 13. Ich frage, ihr antwortet.

e) Setze die in Klammern stehenden Infinitive in die dem Satz entsprechende Form des Präsens:

1. А́ня (начина́ть) чита́ть. 2. Ю́ра и Алексе́й (чита́ть) текст. 3. Мы (слу́шать) ра́дио. 4. Я (говори́ть) пло́хо. 5. Они́ (говори́ть) хорошо́. 6. Вы (начина́ть) говори́ть. 7. Ты (чита́ть) журна́л. 8. Вы (говори́ть) хорошо́.

6

Laute und Buchstaben

Б б = b

З з = s wie in „Rose“

Ё ё (im Wort- und Silbenanlaut) = jo wie in „Joch“

Nach weichen Konsonanten wird ё wie о gesprochen. Ё ё ist stets betont.

Ф ф = f

Щ щ = schtsch

ъ = hartes Zeichen

Dem harten Zeichen, das nur nach Konsonantbuchstaben erscheint, entspricht kein selbständiger Laut. ъ gibt an, daß der vor ihm stehende Konsonant hart gesprochen werden muß. Zugleich trennt ъ den vor ihm stehenden Konsonanten von der folgenden Lautgruppe. Sprich: объясня́ю = ab/jasnʲaju.

Лю́ба, Бори́с, брат, обе́д, обе́дать, Берли́н, Байка́л (See in Mittelsibirien), **Болга́рия, Бре́мен, Бухара́** (Stadt in Usbekistan), **спаси́бо, гло́бус, ба́бушка, биле́т, балко́н, бра́во, баскетбо́л, волейбо́л, гардеро́б, кегельба́н, кабине́т, клуб; заво́д, ва́за, ро́за, звоно́к, газе́та, за́втра, Замбе́зи** (Strom in Afrika), **Занзиба́р** (Insel vor Ostafrika), **земля́** Erde, **гарнизо́н, экза́мен; ёлка** Tanne, **идёт, идём, Пётр; Фёдор, телефо́н, А́фрика, Фра́нция, Финля́ндия, фо́то, фотогра́фия, фото́граф, футбо́л, цифербла́т, фейерве́рк, фрахт, фрак, фронт, профе́ссор, флот** Flotte, **флаг, телегра́ф, ландша́фт, фунт, фи́зика, шрифт, флами́нго; щи** Kohlsuppe, **пи́ща** Speise, **Щедри́н** (Name), **ещё, ве́щи** Dinge; **объясня́ет, объе́кт.**

Lesestoffe

1. Сего́дня мы все до́ма: моя́ ма́ма, мой оте́ц, моя́ сестра́ Лю́ба, мой брат Бори́с и я. Мы сиди́м в ко́мнате.
Мой оте́ц рабо́тает на заво́де. Сего́дня он не рабо́тает. Он и Лю́ба сидя́т на дива́не. Оте́ц чита́ет газе́ту.
Мой брат Бори́с сиди́т за столо́м. На столе́ лежи́т уче́бник. Бори́с открыва́ет уче́бник и начина́ет рабо́тать.
Звоно́к! Э́то де́душка и ба́бушка. Лю́ба идёт в коридо́р и открыва́ет дверь.
Де́душка и ба́бушка говоря́т:
— Здра́вствуйте! Как вы пожива́ете?
Лю́ба отвеча́ет:
— Спаси́бо, о́чень хорошо́. Сего́дня па́па не рабо́тает. Он не идёт на заво́д. Бори́с то́же до́ма. Мы все в ко́мнате.
Де́душка и ба́бушка иду́т в ко́мнату.
Пото́м мы все сиди́м за столо́м и обе́даем. Ве́чером де́душка и ба́бушка иду́т домо́й. Они́ говоря́т:
— Пора́ идти́ домо́й! Спаси́бо. До свида́ния!

2. Здра́вствуй, Бори́с!
Здра́вствуй, Алексе́й!
Как ты пожива́ешь?
Спаси́бо, о́чень хорошо́.
Э́то твой велосипе́д?
Да, э́тот велосипе́д — мой.
Куда́ ты е́дешь?
Я е́ду в го́род.
Я сего́дня то́же е́ду на велосипе́де в го́род.
Е́дем вме́сте!
Хорошо́, е́дем вме́сте!

Здра́вствуйте, Андре́й Ива́нович!
Здра́вствуйте, Пётр Рома́нович! Как вы пожива́ете?
Спаси́бо, хорошо́. А вы куда́ идёте?
Я иду́ в шко́лу.
Э́то хорошо́, идём вме́сте!
Да, идём вме́сте.

3. Где рабо́тает твой оте́ц?
Мой оте́ц рабо́тает в го́роде.
Ты е́дешь в го́род?
Да, пора́ е́хать.
Куда́ идёт твой брат?
Мой брат идёт на заво́д.

Татья́на, где твоя́ сестра́?	Моя́ сестра́ сего́дня в шко́ле.
Куда́ идёт Лю́ба?	Лю́ба идёт в коридо́р.
Куда́ иду́т Бори́с и Пётр?	Они́ иду́т в ко́мнату.
Что там лежи́т на дива́не?	На дива́не лежи́т газе́та.
Что вы чита́ете, Пётр Ива́нович?	Я чита́ю газе́ту и журна́л.
Куда́ вы идёте, А́нна Бори́совна?	Я иду́ домо́й. Пора́ идти́ домо́й.
Куда́ ты идёшь, А́ня?	Я иду́ в го́род.
Э́то что?	Э́то уче́бник отца́.
Где твой оте́ц?	Оте́ц сиди́т за столо́м и чита́ет журна́л.
Где ко́мната отца́?	Вот дверь в ко́мнату отца́.
Где ва́ша ко́мната?	Э́то на́ша ко́мната.
Где ты обе́даешь?	Я обе́даю в ко́мнате.
Где твой брат Пётр?	Он в коридо́ре, он открыва́ет дверь.
Куда́ идёт твой де́душка?	Мой де́душка идёт домо́й.
Куда́ идёт твоя́ ба́бушка?	Ба́бушка идёт в ко́мнату.
Где велосипе́д?	Велосипе́д стои́т в до́ме. Пора́ е́хать в шко́лу.
Э́то велосипе́д Рома́на?	Нет, э́то велосипе́д Ива́на.
Куда́ е́дет Андре́й?	Андре́й е́дет на велосипе́де домо́й.
Вы е́дете в го́род?	Нет, мы не е́дем в го́род. Мы идём в дом, пора́ обе́дать.

4. Звоно́к! Э́то телефо́н. Телефо́н стои́т в коридо́ре на столе́. Ю́ра идёт в коридо́р.

Слу́шаю. Кто говори́т?	Здра́вствуй, Ю́ра! Говори́т Фёдор. Как ты пожива́ешь?
Здра́вствуй, Фёдор! Спаси́бо, хорошо́.	Ты сего́дня не рабо́таешь?
Нет, наш заво́д сего́дня не рабо́тает.	Э́то о́чень хорошо́. Я сего́дня то́же не рабо́таю. Идём в кино́!
Хорошо́, идём вме́сте в кино́. До свида́ния!	До свида́ния, Ю́ра.

5. Я открыва́ю уче́бник. Мы все вме́сте чита́ем и говори́м по-ру́сски и по-неме́цки. Учи́тель объясня́ет текст. Он объясня́ет сло́во „идти́“. Он спра́шивает:

— Как по-неме́цки сло́во „идти́“?

Фёдор отвеча́ет:

— „Идти́“ по-неме́цки „gehen“.

Пото́м учи́тель объясня́ет сло́во „велосипе́д“. „Велосипе́д“ по-неме́цки „Fahrrad“. Все вме́сте мы ещё раз чита́ем текст. Пото́м Татья́на чита́ет по-ру́сски и по-неме́цки:

Са́ми ве́щи не расту́т,	Ein Ding entsteht nicht von allein,
ве́щи де́лать — ну́жен труд.	Arbeit muß geleistet sein.

Schriftmuster

б Б брат Борис Мой брат

Борис дома. з З завод

Занзибар На карте

Замбези. ё Ё идёт Ёлка

Люба идёт в коридор. ф

Ф футбол Фёдор Где Фёдор?

Фёдор дома. щ Щ щи

Щедрин На столе щи. ъ

объясняет Учитель
объясняет слово „идти".

Das russische Alphabet

Аа	Бб	Вв	Гг	Дд	Ее	Ёё	Жж	Зз	Ии	Йй
Кк	Лл	Мм	Нн	Оо	Пп	Рр	Сс	Тт	Уу	Фф
Хх	Цц	Чч	Шш	Щщ	ъ	ы	ь	Ээ	Юю	Яя

Grammatik

Benutze von dieser Lektion an das „Grammatische Beiheft" Klettbuch 52752.

a) Das Substantiv

Der Akkusativ Singular: männlich, weiblich, sächlich

Ивáн читáет журнáл. Отéц читáет газéту. Учи́тель объясня́ет слóво.

Singular	männlich	weiblich	sächlich
Nominativ	журнáл	газéта	слóво
Genitiv	журнáла		
Akkusativ	журнáл	газéту	слóво
Präpositiv	в журнáле	в газéте	в слóве

Der Akkusativ Singular hat bei allen sächlichen Substantiven und bei den männlichen Substantiven, die eine Sache bezeichnen, dieselbe Endung wie der Nominativ. Bei den weiblichen Substantiven auf **-а** zeigt er die Endung **-у**.

b) Das Verb

Die Präsensendungen der 1. Konjugation

Я е́ду на велосипе́де. Я иду́ в го́род. Ты е́дешь, а ты идёшь. Де́душка и ба́бушка иду́т домо́й. Бори́с и Андре́й е́дут на велосипе́де.

Im Präsens der 1. Konjugation können als Endungen der 1. Person Singular und der 3. Person Plural auch **-у** bzw. **-ут** geschrieben werden. Während nach einem Vokal **-ю** bzw. **-ют** auftreten (vgl. **чита́-ю, чита́-ют**), stehen nach Konsonanten **-у** bzw. **-ут**.

я е́д — у	я ид — у́
ты е́д — ешь	ты ид — ёшь
он е́д — ет	он ид — ёт
мы е́д — ем	мы ид — ём
вы е́д — ете	вы ид — ёте
они́ е́д — ут	они́ ид — у́т

Wenn die Endungen betont sind, wird **е** zu **ё**.

c) Die Präpositionen на = auf, in und в = in

Мой брат идёт на заво́д. Мы е́дем в го́род.
Они́ иду́т в ко́мнату.

Nach den Präpositionen **на** und **в** steht, wenn sie auf die Frage „wohin?" („**куда́?**") antworten, der Akkusativ. Vgl. Seite 16/17. — Der Akkusativ nach **на** und **в** dient häufig zur Angabe einer Richtung.

d) Die Form der Anrede

Здра́вствуйте, Андре́й Рома́нович! Как вы пожива́ете?
Куда́ вы идёте?

Die Sie-Anrede drückt man im Russischen durch die 2. Person Plural aus.

Übungen

a) Schreibe nacheinander die Texte 1, 4 und 5 der Lesestoffe ab.

b) Übersetze die abgeschriebenen Texte schriftlich ins Deutsche.

c) Konjugiere im Präsens:

рабо́тать, открыва́ть, обе́дать, объясня́ть, идти́, е́хать.

d) Beantworte schriftlich in ganzen Sätzen folgende Fragen zum Text 1 der Lesestoffe:

1. Кто сего́дня до́ма? 2. Где рабо́тает оте́ц? 3. Кто сиди́т на дива́не? 4. Что чита́ет оте́ц? 5. Где сиди́т Бори́с? 6. Что лежи́т на столе́? 7. Куда́ идёт Лю́ба? 8. Что говоря́т де́душка и ба́бушка? 9. Что отвеча́ет Лю́ба? 10. Куда́ иду́т де́душка и ба́бушка? 11. Кто обе́дает? 12. Куда́ иду́т де́душка и ба́бушка ве́чером? 13. Что они́ говоря́т?

e) Setze die in Klammern stehenden Substantive in den notwendigen Kasus:

1. Мой оте́ц рабо́тает на (заво́д). 2. Моя́ сестра́ Татья́на идёт в (шко́ла). 3. Учи́тель уже́ стои́т в (коридо́р). 4. Ба́бушка идёт в (ко́мната). 5. Наш телефо́н стои́т в (коридо́р). 6. Ваш учёбник лежи́т на (стол). 7. Э́то газе́та (до́ктор). 8. Где учёбник (Бори́с)? 9. Учёбник лежи́т в (класс) на (стул). 10. Карти́на виси́т на (стена́) (класс). 11. Го́род Ки́ев лежи́т на (Днепр). 12. Мой де́душка обе́дает в (ко́мната). 13. Я открыва́ю (окно́). 14. Фёдор открыва́ет дверь в (ко́мната). 15. Лю́ба стои́т в (класс) и объясня́ет текст (учёбник). 16. Оте́ц и Пётр сидя́т на (дива́н) и чита́ют (газе́та). 17. Газе́та лежи́т на (радиоаппара́т). 18. Ни́на е́дет на (велосипе́д). 19. Пора́ е́хать в (шко́ла). 20. Э́то велосипе́д (оте́ц).

f) Übersetze:

1. Tatjana liest eine Zeitschrift. 2. Fedor und Anja lesen eine Zeitung. 3. Der Lehrer öffnet das Fenster. 4. Deine Schwester Natascha hört Radio. 5. Wo ist deine Zeitung? 6. Mein Vater liest die Zeitung. 7. Wo sind

Ljuba und Boris? 8. Sie sind im Zimmer, sie sitzen am Tisch und lesen eine Zeitung. 9. Der Großvater geht auf den Korridor und öffnet die Tür. 10. Guten Tag, Peter! 11. Wie geht es dir? 12. Danke, gut. 13. Heute abend gehe ich ins Kino. 14. Wo ist deine Schwester, wo ist dein Bruder? 15. Mein Bruder ist schon in der Schule, aber meine Schwester ist noch zu Hause. 16. Mein Vater geht heute in das Werk, er arbeitet dort. 17. Boris, es ist Zeit, in das Werk (zu) gehen. 18. Wir gehen zusammen nach Hause. 19. Wo ißt du zu Mittag? 20. Ich esse zu Hause zu Mittag. 21. Wir alle essen zu Hause zu Mittag. 22. Wohin gehst du? 23. Ich gehe in die Schule. 24. Jura erklärt das Wort „gehen". 25. Ich lese russisch, Anja liest deutsch. 26. Wir beginnen (zu) lesen. 27. Wo ist unser Lehrbuch? 28. Euer Lehrbuch liegt in der Klasse auf dem Tisch. 29. Andrei liest noch schlecht. 30. Die Lehrerin liest sehr gut russisch. 31. Wohin fährt Nina? 32. Sie fährt nach Hause. 33. Ich fahre auf dem Fahrrad in die Schule. 34. Das ist Vaters Fahrrad. 35. Wir gehen in das Haus. 36. Peter und Fedor fahren heute in die Stadt. 37. Es ist Zeit, Mittag (zu) essen. 38. Es ist Zeit, nach Hause (zu) fahren.

g) Buchstabiere folgende Wörter:

Ка́ма, канта́та, но́та, э́то, тра́ктор, кино́, Москва́, го́род, ку́чер, Ерева́н, Ура́л, Днепр, журна́л, Ирты́ш, Дуна́й, Толсто́й, мой, учи́тель, культу́ра, Ю́ра, ию́ль, Я́лта, хорошо́, Татья́на, Херсо́н, цирк, цыга́н, брат, спаси́бо, Занзиба́р, А́фрика, Фёдор, фейерве́рк, пи́ща, ещё, объясня́ю, объе́кт.

h) Schreibe die nachstehenden Wörter ab. Ordne sie beim Abschreiben nach dem russischen Alphabet:

Евро́па
олимпиа́да
фильм
вера́нда
раке́та
я́рмарка
леопа́рд
хокке́й
ю́мор
аква́риум
плака́т
щи (Kohlsuppe)
мета́лл
карто́фель
чемпио́н
сала́т
жира́ф
тигр
диплома́т
нейло́н
университе́т
йод
зал
гори́лла
эква́тор
инструме́нт
бана́н
шофёр
цеме́нт

i) Aus den nachstehenden Silben sind 10 Wörter zu bilden, deren Anfangsbuchstaben, von oben nach unten gelesen, eine russische Abschiedsformel ergeben.

а – ве – ве – дне – дос – ид – ир – ка – ло – мур – на – нать – от – пе – пед – про – ра – са – си – ти – тов – тровск – тыш – чать – чи – я

1. Stadt am Dnepr
2. antworten
3. Stadt an der Wolga
4. Fahrrad
5. Fluß in Sibirien
6. Tafel
7. Strom in Ostasien
8. anfangen
9. gehen
10. ich

k)

1	2	3	4	5	6	7	8	9	10	11	12	13	14

In die senkrechten Reihen der Figur sind russische Wörter folgender Bedeutung einzusetzen:

1. Großvater
2. weiblicher Vorname
3. Hauptstadt der Armenischen Sowjetrepublik
4. Schulbank
5. arbeiten
6. zu Mittag essen
7. Zeit
8. fahren
9. Fernsprecher
10. Radio
11. sehr
12. größter Strom Europas
13. zuhören
14. Bild

Bei richtiger Lösung ergibt die oberste waagerechte Reihe den Namen einer Industriestadt in der Ukraine.

1. В шко́лу

7

Э́то Оле́г. Он учени́к. Оле́г встаёт ра́но у́тром.
Э́то сестра́ Оле́га — А́ня. Она́ учени́ца. Она́ то́же встаёт ра́но у́тром.
Оте́ц Оле́га и А́ни — до́ктор. Он рабо́тает в кли́нике. Кли́ника в го́роде. Оте́ц у́тром е́дет в кли́нику.
Ма́ма Оле́га и А́ни не рабо́тает, она́ до́ма.
У́тром ма́ма и па́па, Оле́г и А́ня сидя́т в ко́мнате за столо́м.
Они́ вме́сте за́втракают. Оле́г и А́ня слу́шают ра́дио, па́па чита́ет газе́ту.
Пото́м оте́ц встаёт. Он кладёт газе́ту на стол и идёт во двор. На дворе́ стои́т автомоби́ль отца́. Оте́ц е́дет в кли́нику на автомоби́ле.
Пора́ идти́ в шко́лу. Оле́г и А́ня то́же встаю́т. Они́ открыва́ют дверь ко́мнаты. Из ко́мнаты они́ иду́т в коридо́р. В коридо́ре на столе́ лежи́т портфе́ль Оле́га. Оле́г берёт портфе́ль. В портфе́ле учё́бник, каранда́ш, автору́чка и тетра́дь. Оле́г е́дет в шко́лу на велосипе́де.

На стене́ коридо́ра виси́т су́мка А́ни. А́ня берёт су́мку. Она́ кладёт в су́мку уче́бник, пена́л, каранда́ш, авторучку, тетра́дь, я́блоко и бутербро́д.
Звоно́к! Э́то подру́га А́ни — Ла́ра. А́ня закрыва́ет су́мку. А́ня и Ла́ра вме́сте иду́т в шко́лу.

2. Что де́лает учи́тель?

На столе́ лежи́т портфе́ль учи́теля. Учи́тель открыва́ет портфе́ль. Он берёт из портфе́ля уче́бник. Он закрыва́ет портфе́ль. Он кладёт портфе́ль на стол.
Учи́тель открыва́ет уче́бник и начина́ет чита́ть. Он чита́ет по-неме́цки. Он конча́ет чита́ть и закрыва́ет уче́бник. Он кладёт уче́бник в портфе́ль.

3. Что де́лает А́ня?

А́ня — учени́ца. Она́ сиди́т в кла́ссе. На па́рте лежа́т тетра́дь, каранда́ш и авторучка. А́ня открыва́ет тетра́дь. Она́ берёт каранда́ш и начина́ет писа́ть. Она́ пи́шет уже́ о́чень хорошо́.
Пото́м она́ конча́ет писа́ть. Она́ берёт тетра́дь, каранда́ш и авто́ру́чку. Она́ всё кладёт в су́мку. Она́ встаёт и идёт из кла́сса в коридо́р. В коридо́ре она́ за́втракает.

4. Что де́лает Ла́ра?

Ла́ра — подру́га А́ни. Она́ то́же учени́ца. Она́ идёт из коридо́ра в класс. Она́ открыва́ет дверь. В кла́ссе стои́т стол. На столе́ лежи́т авторучка. Э́то авторучка учи́тельницы. Ла́ра берёт авторучку учи́тельницы .Она́ кладёт авторучку в шкаф. Из шка́фа она́ берёт мел. Она́ кладёт мел на окно́.

5. Что я де́лаю?

Я — учени́к. Ра́но у́тром я сижу́ за столо́м, за́втракаю и чита́ю газе́ту. Я встаю́ и иду́ из ко́мнаты в коридо́р. Я беру́ мой портфе́ль и е́ду на велосипе́де в шко́лу.

Я открыва́ю дверь и иду́ в класс. Я открыва́ю портфе́ль. Из портфе́ля я беру́ уче́бник, авторучку, каранда́ш и тетра́дь. Я закрыва́ю портфе́ль. Пото́м я открыва́ю тетра́дь, беру́ автору́чку и пишу́. Я пишу́ по-ру́сски.

6. Что ты де́лаешь?

На окне́ лежи́т мел. Ты встаёшь, берёшь мел и пи́шешь на доске́. Ты пи́шешь сло́во „тетра́дь". Ты конча́ешь писа́ть. Ты кладёшь мел на стол учи́теля. Пото́м ты из портфе́ля берёшь уче́бник и начина́ешь чита́ть. Ты конча́ешь чита́ть и закрыва́ешь уче́бник. Звоно́к! Ты берёшь я́блоко и идёшь во двор шко́лы.

7. Что мы де́лаем?

Мы — э́то Ната́ша и я. Ната́ша — учени́ца, я — учени́к. Мы открыва́ем шкаф. Мы берём из шка́фа уче́бник, ка́рту и мел. Мы всё э́то кладём на стол учи́тельницы. Мы закрыва́ем шкаф. Мы берём мел и пи́шем на доске́.

8. Что де́лают Серге́й и Алексе́й?

Серге́й — друг Алексе́я. Он учени́к. Он встаёт, берёт каранда́ш, автору́чку и тетра́дь. Всё э́то он кладёт в портфе́ль.
Алексе́й — друг Серге́я. Он то́же учени́к. Он закрыва́ет окно́, кладёт ка́рту и мел в шкаф. Он закрыва́ет шкаф. Из портфе́ля он берёт я́блоко и бутербро́д.
Серге́й и Алексе́й иду́т из кла́сса во двор. Из шко́лы они́ е́дут домо́й.

9. Что де́лают О́льга и Ле́на?

Звоно́к! О́льга и Ле́на встаю́т. Ле́на берёт из портфе́ля бутербро́д и идёт во двор. О́льга берёт су́мку. В су́мке я́блоко. На дворе́ О́льга и Ле́на вме́сте за́втракают.

Übungen

a) Beantworte schriftlich in ganzen Sätzen folgende Fragen zum Text 1 der Lesestoffe:

1. Кто встаёт ра́но у́тром? 2. Где рабо́тает оте́ц Оле́га и А́ни? 3. Кто он? 4. Где рабо́тает ма́ма Оле́га и А́ни? 5. Куда́ е́дет оте́ц? 6. Что стои́т на дворе́? 7. Кто Оле́г? 8. Где лежи́т портфе́ль Оле́га? 9. Кто А́ня? 10. Где виси́т су́мка А́ни? 11. Куда́ Оле́г е́дет на велосипе́де? 12. Что кладёт А́ня в су́мку?

b) Bilde 20 Sätze.

Muster: Э́то карти́на Рома́на.

э́то	карти́на пена́л су́мка авторучка велосипе́д шкаф я́блоко радиоаппара́т	Рома́н Андре́й Лю́ба Серге́й А́ня учи́тель Ла́ра учи́тельница

Muster: Каранда́ш лежи́т на дива́не.

каранда́ш журна́л бутербро́д ка́рта учёбник газе́та	лежи́т	в на	дива́н стул су́мка ко́мната автомоби́ль окно́

c) Setze die in Klammern stehenden Infinitive in die dem Satz entsprechende Präsensform:

1. У́тром мы (за́втракать) все вме́сте. 2. Мы (сиде́ть) за столо́м. 3. Андре́й (слу́шать) ра́дио. 4. Радиоаппара́т (стоя́ть) на столе́. 5. Ири́на и Ле́на (чита́ть) газе́ту. 6. Журна́л

(лежа́ть) на сту́ле. 7. Ма́ма (спра́шивать), а па́па (отвеча́ть). 8. Оле́г и А́ня (брать) ка́рту и су́мку. 9. Де́душка и ба́бушка (идти́) в кино́. 10. Татья́на (писа́ть) на доске́. 11. Ла́ра (закрыва́ть) окно́. 12. Уче́бник и журна́л (лежа́ть) на радиоаппара́те. 13. Моя́ подру́га Ната́ша сего́дня (е́хать) на велосипе́де в шко́лу. 14. Из кла́сса вы (идти́) во двор. 15. Учи́тель (класть) портфе́ль в автомоби́ль. 16. Автомоби́ль учи́теля (стоя́ть) на дворе́. 17. Лю́ба и Татья́на (встава́ть) ра́но у́тром. 18. Ты (объясня́ть) сло́во „пора́". 19. Сего́дня я (обе́дать) ве́чером. 20. Я (сиде́ть) в автомоби́ле.

d) Konjugiere im Präsens:

1. Я иду́ в шко́лу.
2. Я беру́ авторучку.
3. Я пишу́ на доске́.
4. Я сижу́ за столо́м.
5. Я е́ду на велосипе́де.
6. Я объясня́ю сло́во.
7. Я встаю́ ра́но у́тром.
8. Я кладу́ мел на па́рту.
9. Я стою́ в кла́ссе.
10. Я открыва́ю окно́.

e) Bilde zu den unter d) genannten Verbformen die Infinitive. Ordne diese nach ihrer Zugehörigkeit zur е- bzw. и-Konjugation.

f) Übersetze:

1. Die Mutter öffnet die Tür des Zimmers. Sie sagt: „Oleg, es ist Zeit, aufzustehen und zu frühstücken." Oleg antwortet: „Ja, ich stehe schon auf."

2. Der Vater steht auch sehr früh auf. Er ist Arzt. Er frühstückt, nimmt die Zeitung und die Aktentasche und geht auf den Hof. Dort steht das Auto. Der Vater fährt im Auto in die Klinik.

3. Oleg ist noch Schüler. Er fährt auf dem Rad in die Schule. Anja ist die Schwester Olegs. Sie geht heute nicht in die Schule.

4. Die Lehrerin nimmt aus der Aktentasche das Lehrbuch. Sie legt das Lehrbuch auf den Tisch. Sie nimmt den Füllfederhalter und schreibt. Sie schreibt deutsch.

5. Im Zimmer steht ein Schrank. Irina öffnet den Schrank. Sie nimmt aus dem Schrank Kreide. Sie legt die Kreide auf den Tisch. Sie schließt den Schrank.

6. Peter und Fedor schreiben an der Tafel. Sie schreiben schon sehr gut. Peter hört auf zu schreiben und legt die Kreide auf die Schulbank.
7. Lara ist die Freundin Anjas. Boris ist der Bruder Sergeis. Natascha ist die Schwester Tatjanas.
8. Ljuba nimmt den Füllfederhalter, den Bleistift, das Heft und das Lehrbuch. Sie legt alles in die Tasche. Dann geht sie auf den Hof. Sie frühstückt.
9. Ist das euer Auto? Ja, das ist unser Auto. Im Auto sitzen meine Schwester und mein Bruder. Mein Vater fährt heute auf dem Fahrrad.
10. Wir gehen in unser Haus. Ich öffne die Tür. Dort ist mein Zimmer. Wir gehen in das Zimmer. Es ist Zeit zu frühstücken.

8

1. По́сле шко́лы

По́сле шко́лы Оле́г на велосипе́де е́дет домо́й. Сестра́ Оле́га, А́ня, уже́ до́ма.
Ма́ма, Оле́г и А́ня вме́сте обе́дают. Оте́ц не обе́дает до́ма, он обе́дает в кли́нике.
По́сле обе́да ма́ма спра́шивает Оле́га:
— Оле́г, что ты сего́дня де́лал в шко́ле?
Оле́г отвеча́ет ма́ме. Он расска́зывает ма́ме и А́не, что он де́лал в шко́ле:
— Сего́дня мы чита́ли и говори́ли по-неме́цки и по-англи́йски. На доске́ был текст. Сперва́ чита́л учи́тель, а пото́м мы чита́ли. Мы спра́шивали учи́теля, а он отвеча́л. Пото́м мы все вме́сте ещё раз чита́ли текст. Сего́дня мы рабо́тали о́чень хорошо́.
Ма́ма спра́шивает А́ню:
— А ты, А́ня, что вы де́лали в шко́ле?
А́ня расска́зывает ма́ме и бра́ту о рабо́те в шко́ле:
— Я сего́дня писа́ла на доске́. На́ша учи́тельница А́нна Ива́новна сперва́ объясня́ла текст. Мы внима́тельно слу́шали А́нну Ива́новну. Пото́м мы писа́ли дикто́вку.

Оле́г спра́шивает А́ню:

— Ты сего́дня ви́дела Ли́ду?

А́ня отвеча́ет бра́ту:

— Нет, Ли́ду я не ви́дела. Я ви́дела бра́та Ли́ды. Ли́да вчера́ и сего́дня была́ до́ма, а за́втра она́ опя́ть бу́дет в шко́ле.

Пото́м ма́ма встаёт. Она́ идёт в ку́хню. Оле́г и А́ня то́же встаю́т.

А́ня спра́шивает Оле́га:

— Что ты бу́дешь де́лать?

Оле́г отвеча́ет сестре́:

— Я бу́ду рабо́тать.

Оле́г идёт в ко́мнату отца́, а А́ня идёт к ма́ме в ку́хню. В ку́хне она́ помога́ет ма́ме в рабо́те.

2. По́сле обе́да

Оле́г в ко́мнате. Тут библиоте́ка отца́. Нале́во стои́т шкаф, а напра́во стоя́т стул, стол, кре́сло и дива́н.

Оле́г идёт к шка́фу, открыва́ет дверь и берёт из шка́фа кни́гу. Он кладёт кни́гу на стол.
Оле́г открыва́ет кни́гу и начина́ет рабо́тать. Сперва́ он чита́ет по-ру́сски и по-англи́йски. Пото́м он пи́шет по-неме́цки.
На кре́сле лежи́т портфе́ль. Оле́г кладёт кни́гу и тетра́дь в портфе́ль.
В столе́ отца́ лежи́т бума́га. Оле́г берёт из стола́ лист бума́ги и начина́ет писа́ть письмо́.
Э́то письмо́ он пи́шет Алексе́ю.
Алексе́й — учени́к, он друг Оле́га. Он ра́ньше то́же жил в Москве́. Тепе́рь он живёт в Ленингра́де. Оте́ц Алексе́я — инжене́р. Он ра́ньше рабо́тал в Москве́, а тепе́рь рабо́тает в Ленингра́де.
В письме́ Оле́г расска́зывает Алексе́ю о го́роде, кого́ он ви́дел, что де́лал. Он расска́зывает об автомоби́ле отца́ и куда́ он вчера́ е́хал.
Он расска́зывает о рабо́те в шко́ле, кому́ он там помога́л.
Он пи́шет дру́гу, что он уже́ хорошо́ говори́т по-неме́цки и по-англи́йски и что ско́ро бу́дут кани́кулы.
Он конча́ет письмо́. Письмо́ уже́ за́втра бу́дет в Ленингра́де.

3. У ба́бушки

А́ня помога́ла ма́ме в ку́хне. Тепе́рь она́ идёт во двор. Нале́во, у стены́ до́ма, стои́т велосипе́д.
А́ня на велосипе́де е́дет к ба́бушке.
Ба́бушка ра́ньше жила́ в Баку́, а тепе́рь она́ то́же живёт в Москве́. Вот там напра́во стои́т дом ба́бушки.
Ба́бушка сиди́т в кре́сле у окна́. Она́ ви́дит А́ню. Она́ встаёт, идёт в коридо́р и открыва́ет А́не дверь. Ба́бушка говори́т:

— Хорошо́, что ты идёшь к ба́бушке. Здра́вствуй, А́ня!

Пото́м ба́бушка и А́ня сидя́т на дива́не. А́ня расска́зывает ба́бушке, что она́ по́сле обе́да помога́ла ма́ме в ку́хне. Она́ расска́зывает, что вчера́ и сего́дня бы́ло в кла́ссе и что ско́ро бу́дут кани́кулы.
Ра́но ве́чером А́ня опя́ть е́дет домо́й.

4. Мы говори́м по-ру́сски.

Что лежи́т на столе́?	На столе́ лежа́т каранда́ш и лист бума́ги.
Где моё письмо́?	Оно́ лежа́ло на столе́.
Ни́на, э́то твоё письмо́?	Да, э́то моё письмо́.
Э́то твоя́ кни́га?	Нет, э́то не моя́ кни́га, э́то кни́га Серге́я.
Э́то ко́мната отца́?	Нет, э́то моя́ ко́мната. Напра́во, э́то мой стол, а там нале́во стои́т моё кре́сло.
Что стои́т там у окна́?	У окна́ стои́т мой шкаф.
Куда́ ты идёшь?	Я иду́ к окну́, я открыва́ю окно́.
Что вы сего́дня де́лали в шко́ле?	Сего́дня мы чита́ли и писа́ли по-англи́йски. За́втра мы бу́дем писа́ть дикто́вку.
Ива́н, что ты тепе́рь де́лаешь?	Я сперва́ пишу́ письмо́, а пото́м я е́ду в библиоте́ку.
Кому́ ты пи́шешь?	Я пишу́ учи́телю.
Что ты пи́шешь учи́телю?	Я пишу́ учи́телю о рабо́те в шко́ле.
Кому́ помога́ет Рома́н?	Рома́н помога́ет бра́ту и сестре́.
Кому́ бу́дет помога́ть Бори́с?	Бори́с бу́дет помога́ть Андре́ю.
Кому́ помога́ла Ла́ра?	Ла́ра помога́ла ба́бушке в ку́хне.
К кому́ ты идёшь, Ле́на?	Я иду́ к учи́тельнице.
Что ты бу́дешь де́лать за́втра?	За́втра я бу́ду рабо́тать.
Серге́й, куда́ ты е́дешь по́сле обе́да?	По́сле обе́да я е́ду к отцу́ на заво́д, а пото́м я бу́ду у до́ктора.

Где ты тепе́рь живёшь?	Я тепе́рь живу́ в Ки́еве, а ско́ро мы бу́дем жить в Москве́.
Где вы бы́ли вчера́?	Вчера́ мы бы́ли у инжене́ра Смирно́ва.
Вы ви́дели автомоби́ль инжене́ра?	Да, автомоби́ль мы ви́дели. Он стоя́л у до́ма.
Где ты бу́дешь за́втра?	За́втра я опя́ть бу́ду у отца́ на заво́де.
Кого́ ты вчера́ ви́дел в го́роде?	В го́роде я вчера́ ви́дел бра́та Ни́ны.
У кого́ Ю́ра был сего́дня?	Сего́дня Ю́ра был у сестры́.
Ла́ра, ты ви́дела А́ню?	Да, я ви́дела А́ню. А́ня была́ у ба́бушки.
Где ва́ша ку́хня?	Вот на́ша ку́хня, там окно́ ку́хни.
О чём расска́зывал Оле́г?	Оле́г расска́зывал об автомоби́ле отца́.
Кого́ ты спра́шивала, Ле́на?	Я спра́шивала учи́тельницу.
Кого́ вы ви́дели в библиоте́ке?	В библиоте́ке мы ви́дели учи́теля и инжене́ра.
О чём Ната́ша пи́шет Тама́ре?	Ната́ша пи́шет Тама́ре, что ско́ро бу́дут кани́кулы.

Übungen

a) Setze die in Klammern stehenden Infinitive in die dem Satz entsprechende Form des Präteritums:

1. Анто́н (стоя́ть) в кла́ссе и (чита́ть). 2. Ни́на (сиде́ть) в ко́мнате. 3. Мы (чита́ть) газе́ту. 4. Вы (слу́шать) ра́дио. 5. Радиоаппара́т (стоя́ть) на столе́. 6. Журна́л и газе́та (лежа́ть) на дива́не. 7. Учи́тель хорошо́ (говори́ть) по-ру́сски. 8. Вы пло́хо (рабо́тать). 9. Сего́дня они́ не (обе́дать).

10. Ири́на (е́хать) в автомоби́ле. 11. Тама́ра (быть) до́ма. 12. Учи́тельница (объясня́ть) сло́во. 13. Ю́ра (закрыва́ть) дверь. 14. Вчера́ Фёдор (писа́ть) и (говори́ть) по-неме́цки. 15. Оте́ц (за́втракать) на заво́де. 16. Они́ (встава́ть) ра́но.

b) Bilde 20 Sätze im Futurum:

Muster: Еле́на бу́дет в шко́ле.

Еле́на Серге́й они́ мы ты я	быть	в шко́ле в ко́мнате во дворе́ на заво́де в кино́ в кли́нике
учи́тель мы они́ вы ты я	быть	рабо́тать спра́шивать отвеча́ть обе́дать писа́ть слу́шать

c) Setze die in Klammern stehenden Substantive in den notwendigen Kasus:

1. Ла́ра идёт из (класс) во двор. 2. По́сле (шко́ла) Анто́н рабо́тал. 3. В (автомоби́ль) сидя́т Ю́ра и Андре́й. 4. По́сле (рабо́та) оте́ц идёт домо́й. 5. Лю́ба е́дет к (Ле́на). 6. Бори́с е́хал к (Рома́н). 7. Велосипе́д стоя́л у (стена́). 8. Они́ говоря́т об (учи́тель). 9. Мы говори́ли о (кли́ника). 10. Я иду́ к (кре́сло). 11. Пётр был у (де́душка). 12. Вы идёте к (учи́тель). 13. Она́ берёт из (су́мка) я́блоко. 14. Инжене́р стоя́л у (окно́). 15. Там окно́ (ку́хня).

d) Beantworte die Fragen mit den angegebenen Wörtern:

КОГО́? WEN?

Кого́ Ири́на ви́дела вчера́? Кого́ Рома́н спра́шивал?	Ири́на ви́дела вчера́ Рома́н спра́шивал	учени́к па́па брат учи́тель Лю́ба де́душка Андре́й сестра́

У КОГО́? BEI WEM?

У кого́ был Бори́с? У кого́ рабо́тал Анто́н?	Бори́с был у Анто́н рабо́тал у	учи́тель ба́бушка оте́ц до́ктор учи́тельница сестра́ Андре́й Рома́н Ива́нович

КОМУ́? WEM?

Кому́ Ива́н открыва́ет дверь?	Ива́н открыва́ет	учи́тельница инжене́р Алексе́й друг ма́ма учи́тель А́ня Татья́на	дверь
Кому́ учи́тель объясня́ет текст?	Учи́тель объясня́ет		текст
Кому́ оте́ц помога́ет в рабо́те?	Оте́ц помога́ет		в рабо́те

К КОМУ́? ZU WEM?

К кому́ е́дет Татья́на? К кому́ идёт Алексе́й?	Татья́на е́дет к Алексе́й идёт к	Рома́н Тама́ра Ива́н учи́тельница Серге́й учи́тель па́па до́ктор

О КОМ? VON WEM? (ÜBER WEN?)

О ком мы говори́ли? О ком Фёдор чита́л? О ком Ле́на писа́ла?	Мы говори́ли Фёдор чита́л Ле́на писа́ла	о об о об о об	Серге́й учени́ца учи́тель ба́бушка оте́ц сестра́ А́ня Ю́ра

О ЧЁМ? ÜBER WAS? (WORÜBER?)

О чём оте́ц расска́зывал? О чём Ната́ша писа́ла? О чём Ива́н чита́л?	Оте́ц расска́зывал Ната́ша писа́ла Ива́н чита́л	о об о об о об	шко́ла автомоби́ль заво́д библиоте́ка Минск дом Баку́ СССР

e) Setze die folgenden Sätze ins Präteritum:

1. В шко́ле мы рабо́таем. 2. Учи́тель спра́шивает учени́цу, а учени́ца отвеча́ет. 3. Мы слу́шаем учи́тельницу внима́тельно. 4. Ла́ра пи́шет на доске́. 5. Бори́с помога́ет Андре́ю, Ле́на помога́ет Татья́не. 6. Мы пи́шем дикто́вку. 7. О́льга живёт в Ми́нске, а Серге́й живёт в Баку́. 8. У́тром Оле́г и А́ня встаю́т ра́но и за́втракают. 9. Ле́на открыва́ет ба́бушке дверь. 10. Инжене́р рабо́тает на заво́де, он расска́зывает о рабо́те. 11. Оте́ц сего́дня до́ма. 12. Мы в кино́. 13. О чём говори́т до́ктор? 14. До́ктор расска́зывает о кли́нике. 15. В ко́мнате стоя́т мой стол, мой стул и моё кре́сло. 16. На столе́ лежа́т моя́ авторучка и кни́га. 17. Я́блоко лежи́т в су́мке. 18. Ири́на е́дет к отцу́ в кли́нику. 19. Пётр конча́ет письмо́. 20. Ла́ра живёт у ба́бушки.

f) Setze die Sätze 1 bis 8 und 11 bis 15 der Übung e) ins Futurum.

g) Übersetze:

1. Der Lehrer sagt: „Ich werde fragen, ihr werdet antworten.“ 2. Ich werde aufmerksam zuhören. 3. Du wirst gut lesen. 4. Wir haben dem Lehrer geschrieben. 5. Du hast das Buch gelesen. 6. Olga war in der Küche, sie half der Mutter. 7. Wo ist mein Brief? 8. Der Brief lag in der Aktentasche. 9. Haben Sie den Ingenieur gesehen? 10. Ja, der Ingenieur war in der Bibliothek. 11. Ich wohnte in Moskau, aber jetzt wohne ich in Leningrad. 12. Gestern war ich zuerst im Kino, später war ich beim Arzt. 13. Du hast wieder schlecht gelesen. 14. Bald wirst du gut lesen. 15. Natascha wird Ljuba helfen. 16. Lene war bei der Freundin in Kiew. 17. Früher schrieb ich sehr schlecht englisch, jetzt schreibe ich gut. 18. Worüber habt ihr gesprochen? 19. Wir sprachen über das Automobil. 20. Bald werden Ferien sein.

1. В ко́мнате Оле́га

Ма́ма в ко́мнате Оле́га. Вот стол и шкаф. На столе́ лежа́т журна́лы, газе́ты, пи́сьма, стоя́т кни́ги.
Ма́ма берёт журна́лы. Она́ кладёт журна́лы в шкаф. Газе́ты и пи́сьма она́ кладёт в стол.
Нале́во о́кна, напра́во стена́ и дверь. На стене́ вися́т карти́ны. У стены́ стоя́т дива́н и кре́сла. На дива́не лежа́т уче́бники и портфе́ль Оле́га. Ма́ма кладёт уче́бники в портфе́ль.

2. Я спра́шиваю, а ты отвеча́ешь.

Бы́ли учени́цы О́льга и Ла́ра вчера́ в шко́ле?	Да, учени́цы вчера́ бы́ли в шко́ле.
Кто там стои́т в коридо́ре?	Э́то ученики́ Бори́с и Пётр.
Кто тепе́рь в ко́мнате?	В ко́мнате инжене́ры заво́да.
Где учителя́?	Учителя́ во дворе́.
Куда́ иду́т доктора́?	Доктора́ иду́т в кли́нику.
Ты ви́дишь дома́ го́рода?	Да, я ви́жу дома́ го́рода.

3. Но́вый уче́бник

Мы уже́ зна́ем А́ню. А́ня — де́вочка, она́ сестра́ Оле́га. Она́ хоро́шая учени́ца. Тепе́рь А́ня в шко́ле бу́дет изуча́ть неме́цкий язы́к.
Оле́г — ма́льчик. Он уже́ немно́го чита́ет, пи́шет, говори́т и мно́го понима́ет по-неме́цки. Он изуча́ет англи́йский и неме́цкий языки́.
Оле́г из портфе́ля берёт но́вый неме́цкий уче́бник. Он даёт э́тот уче́бник сестре́.

4. Хоро́ший това́рищ

Фе́дя пло́хо зна́ет неме́цкий язы́к. Вчера́ в шко́ле он опя́ть пло́хо чита́л и говори́л по-неме́цки. Он ещё ма́ло понима́ет по-неме́цки. Сего́дня Фе́дя у Оле́га. Оле́г — хоро́ший учени́к и хоро́ший това́рищ. Он мно́го понима́ет по-неме́цки.

Он бу́дет Фе́де помога́ть. Ма́льчики бу́дут вме́сте рабо́тать. На столе́ лежи́т но́вая неме́цкая кни́га. Оле́г берёт кни́гу и чита́ет. Фе́дя слу́шает дру́га внима́тельно. Он ещё не всё понима́ет. Оле́г объясня́ет Фе́де неме́цкий текст, но́вые неме́цкие слова́. Он объясня́ет неме́цкое сло́во „geben". „Geben" по-ру́сски „дава́ть".
Фе́дя ещё раз чита́ет но́вое сло́во. Тепе́рь он всё понима́ет. Он чита́ет хорошо́.
Пото́м ма́льчики ещё немно́го говоря́т и пи́шут по-неме́цки.

5. В библиоте́ке

Оле́г и А́ня живу́т на у́лице Ре́пина. Э́то о́чень больша́я у́лица. Живу́т они́ в до́ме но́мер три. Э́то большо́й и высо́кий дом. На у́лице Ре́пина стоя́т о́чень высо́кие дома́.
Нале́во, в до́ме но́мер четы́ре, библиоте́ка, а в до́ме но́мер пять большо́е кино́. Напра́во, в до́ме но́мер два, живёт друг Оле́га, Фе́дя. Ма́льчики вчера́ по́сле обе́да вме́сте бы́ли в библиоте́ке.
Библиоте́ка больша́я. Всю́ду кни́ги, кни́ги, кни́ги . . .
В за́ле библиоте́ки стоя́т столы́ и кре́сла. Напра́во больши́е высо́кие о́кна.
Оле́г и Фе́дя сиде́ли за столо́м и чита́ли. На столе́ лежа́ли но́вые газе́ты и журна́лы — ру́сские, неме́цкие, англи́йские.
Оле́г тепе́рь изуча́ет англи́йский язы́к. Он уже́ немно́го понима́ет по-англи́йски.
Фе́дя чита́л по-неме́цки. Он ещё пло́хо зна́ет неме́цкий язы́к.

6. Говори́те по-ру́сски!

ДО́МА

Ни́на, пожа́луйста, слу́шай! Встава́й, пора́ за́втракать!	Я уже́ встаю́. Сего́дня по́здно. Мы за́втракаем в ку́хне.
Уже́ по́здно, иди́ в шко́лу!	Я уже́ иду́, ма́ма.
Ю́ра, како́е там лежи́т письмо́?	Э́то моё письмо́ сестре́ Татья́не.

Когда́ ты писа́л?	Я писа́л вчера́ у́тром.
Ты когда́ бу́дешь у Бори́са?	Я бу́ду у Бори́са за́втра по́сле шко́лы.
Будь, пожа́луйста, ве́чером до́ма!	Да, ве́чером я бу́ду до́ма.
Когда́ Тама́ра была́ в библиоте́ке?	Я не зна́ю, когда́ она́ была́ там.
Э́то како́й журна́л?	Э́то но́вый ру́сский журна́л.
Пожа́луйста, э́то каки́е газе́ты?	Э́то на́ши неме́цкие и англи́йские газе́ты.
Кака́я кни́га там лежи́т на столе́?	Э́то англи́йская кни́га инжене́ра Петро́ва.
Э́тот журна́л но́вый?	Да, он но́вый.
Э́ти газе́ты но́вые?	Нет, они́ не но́вые.

В КЛА́ССЕ

Ива́н, пожа́луйста, иди́ к доске́ и пиши́!

Я иду́ к доске́. Я бу́ду писа́ть.

Чита́й э́тот но́вый текст ещё раз!

Я ещё раз чита́ю но́вый текст.

Де́вочки, чита́йте все вме́сте сперва́ ру́сский текст, а пото́м неме́цкий!

Мы чита́ем все вме́сте сперва́ ру́сский, а пото́м неме́цкий текст.

Ле́на и На́та, иди́те, пожа́луйста, к ка́рте!

Мы идём к ка́рте.

Что вы ви́дите на ка́рте?

Мы ви́дим на ка́рте больши́е города́ СССР: Москву́, Ленинград, Ки́ев, Баку́.

Зна́ешь ли ты англи́йский язы́к?

По-англи́йски я ма́ло понима́ю, а Анто́н понима́ет мно́го.

Когда́ Фе́дя писа́л по-неме́цки?

Фе́дя писа́л по-неме́цки, когда́ он был у Оле́га.

Како́й учени́к Рома́н?

Он хоро́ший учени́к и хоро́ший това́рищ.

Кто ва́ши учителя́?

На́ши учителя́ Ива́н Петро́вич и Серге́й Рома́нович.

Каки́е неме́цкие те́ксты вы уже́ чита́ли?

Мы уже́ чита́ли все неме́цкие те́ксты.

Како́е сло́во там на доске́?

На доске́ но́вое ру́сское сло́во „това́рищ“.

НА У́ЛИЦЕ

Това́рищ милиционе́р, пожа́луйста, кака́я э́то у́лица?

Э́то у́лица Пу́шкина.

А где дом но́мер оди́н?

Иди́те, пожа́луйста, напра́во, там дом но́мер оди́н.

Зна́ете ли вы, где тут но́вое кино́?

Зна́ю. Иди́те сперва́ нале́во, а пото́м напра́во. Там большо́е хоро́шее кино́.

Каки́е там высо́кие о́кна?

Э́то о́кна библиоте́ки.

Каки́е там стоя́т автомоби́ли?

Э́то но́вые неме́цкие и англи́йские автомоби́ли.

Когда́ у библиоте́ки стоя́л автомоби́ль?

Автомоби́ль стоя́л там, когда́ инжене́р был в кино́.

Где э́ти высо́кие дома́?

Э́ти дома́ стоя́т на у́лице Ре́пина.

Вы ви́дели милиционе́ра?

Ви́дел. Милиционе́р стои́т там у автомоби́ля.

Übungen

a) Beantworte in ganzen Sätzen folgende Fragen zu den Texten 2 bis 6 der Lesestoffe:

1. Кака́я учени́ца А́ня? 2. Како́й язы́к она́ тепе́рь бу́дет изуча́ть? 3. Како́й учени́к Оле́г? 4. Кому́ Оле́г даёт но́вый уче́бник? 5. Како́й уче́бник он даёт сестре́? 6. У кого́ был Фе́дя? 7. Кто бу́дет Фе́де помога́ть? 8. Когда́ Фе́дя был у дру́га? 9. Кака́я кни́га лежа́ла на столе́? 10. Кого́ Фе́дя слу́шал внима́тельно? 11. Како́й текст объясня́л Оле́г Фе́де? 12. Где живу́т Оле́г и А́ня? 13. Каки́е дома́ стоя́т на у́лице Ре́пина? 14. Где библиоте́ка и где большо́е кино́? 15. Где живёт Фе́дя? 16. Когда́ ма́льчики бы́ли в библиоте́ке? 17. Что стои́т в за́ле библиоте́ки? 18. Каки́е там о́кна? 19. Каки́е газе́ты и журна́лы лежа́ли на столе́? 20. Что де́лали ма́льчики в библиоте́ке?

b) Schreibe die nachstehenden Texte ab und setze Betonungszeichen:

1. О чём рассказывал Андрей? Он рассказывал о работе в школе. Все мальчики и девочки теперь изучают немецкий и английский языки. Сегодня Андрей писал на доске. Девочки уже хорошо знают английский язык. Они много понимают по-английски.

2. Где вы живёте, Сергей Иванович? Я теперь живу на улице Пушкина, в доме номер четыре. Раньше я жил на улице Репина. Дома на улице Пушкина новые. Они очень большие и высокие. Работаю я теперь в библиотеке. Рано утром я на велосипеде еду в библиотеку.

3. Где вы были вчера вечером, Нина Романовна? Вчера вечером я сперва была в кино. На улице Пушкина хорошее новое кино. После кино я была у подруги. Вместе мы слушали радио. Моя подруга Ольга работает в клинике. Она рассказывала о клинике. Поздно вечером я опять была дома.

4. Эта улица очень большая. Направо и налево, всюду стоят автомобили. Там стоит новый автомобиль. Это автомобиль доктора. У автомобиля стоят милиционер и доктор. Направо, у стены дома, стоят велосипеды. Это велосипеды Олега и Ани.

c) Bilde mit den Wörtern jeder Zeile einen Satz im Präsens und einen im Präteritum.

Muster: Столы́ стоя́т в ко́мнате.
Столы́ стоя́ли в ко́мнате.

1. Столы́	стоя́ть	в	ко́мната
2. Пи́сьма	лежа́ть	в	су́мка
3. Ма́льчики	быть	на	заво́д
4. Де́вочка	быть	в	шко́ла
5. Милиционе́ры	сиде́ть	в	автомоби́ль
6. Учителя́	расска́зывать	о	Москва́
7. Инжене́ры	жить	в	го́род
8. Подру́га	помога́ть	в	ку́хня
9. Учи́тельницы	стоя́ть	на	у́лица
10. Учени́к	рабо́тать	у	това́рищ
11. Ба́бушка	е́хать	к	до́ктор
12. Де́вочки	е́хать	к	учи́тельница

d) Beantworte folgende Fragen in ganzen Sätzen:

1. Какóй э́то зал? (groß) 2. Какáя э́то учени́ца? (neu) 3. Какóе э́то слóво? (englisch) 4. Каки́е э́то языки́? (deutsch und russisch) 5. Какáя э́то кýхня? (groß) 6. Какóе э́то я́блоко? (schön) 7. Каки́е э́то ýлицы? (groß) 8. Какáя э́то доскá? (hoch) 9. Каки́е э́то милиционéры? (russisch) 10. Каки́е э́то учителя́? (englisch und deutsch) 11. Какáя э́то сýмка? (schön) 12. Каки́е э́то городá? (neu)

e) Setze die in Klammern stehenden Adjektive und Substantive in den Nominativ bzw. Akkusativ Plural:

1. На столé стоя́ли (нóвая кни́га). 2. Учи́тель объясня́л (нóвое слóво). 3. Сергéй и Бори́с (хорóший учени́к). 4. Мáльчик открывáет (высóкое óкнó). 5. В библиотéке (хорóшая кни́га). 6. Всю́ду лежáли (немéцкая газéта). 7. Во дворé стоя́ли (большóй автомоби́ль). 8. В столé лежáли (англи́йское письмó). 9. В гóроде бы́ли (большáя ýлица). 10. В шкóле тепéрь рабóтают (нóвый учи́тель). 11. Рáньше тут всю́ду стоя́ли (высóкий дом). 12. Я ужé знáю (рýсское слóво).

f) Ersetze die in Klammern stehenden Infinitive durch den Imperativ der 2. Person Plural:

1. Пожáлуйста, (спрáшивать)! 2. (Идти́) к доскé и (писáть)! 3. (Помогáть) товáрищу! 4. Не (говори́ть)! 5. (Закрывáть) óкна; (открывáть) óкна! 6. (Вставáть) рáно! 7. (Расскáзывать), что сегóдня бы́ло в шкóле. 8. (Брать) вáши нóвые карандаши́ и авторýчки! 9. (Изучáть) языки́! 10. (Читáть) э́ти рýсские и англи́йские кни́ги! 11. (Класть) тетрáдь и мел в шкаф! 12. Когдá учи́тельница в клáссе, (отвечáть) по-англи́йски! 13. Пожáлуйста, не (сидéть)! 14. Пожáлуйста, (стоя́ть)! 15. (Начинáть) рабóтать! 16. (Знать), что э́то моя́ мáма! 17. (Быть) рáно вéчером дóма! 18. Не (зáвтракать) в зáле! 19. (Идти́) на ýлицу! 20. (Слýшать), когдá говоря́т вáши товáрищи!

g) Übersetze:

1. Er versteht schon gut russisch. 2. Der Lehrer gibt dem Schüler die neuen Bleistifte. 3. Wo steht das hohe Haus? 4. Hohe Häuser stehen in der Repinstraße. 5. Das Mädchen spricht viel, der Junge spricht wenig. 6. Überall standen Jungen und Mädchen. 7. Diese Bücher und Zeitschriften sind neu. 8. Nina ist meine gute Freundin. 9. Wo sind die neuen Straßen? 10. Ich weiß (es) nicht. 11. Wann wirst du zu Hause sein? 12. Ich werde sehr spät zu Hause sein. 13. Er spricht und schreibt ein wenig englisch. 14. Der Milizionär spricht gut deutsch. 15. Was für ein Junge ist das? 16. Ich kenne den Jungen gut, er wohnt in der Stadt. 17. Moskau, Leningrad, Kiew und Baku sind sehr große Städte. 18. Wo ist das Haus Nummer eins? 19. Dort links sind die Nummern eins, zwei, drei, vier und fünf. 20. Unsere englischen Kameraden waren gestern im Kino.

10

1. Чем они́ пи́шут?

Ле́на, я ви́жу, ты пи́шешь карандашо́м. Пожа́луйста, пиши́ автору́чкой!

Да, я тепе́рь бу́ду писа́ть то́лько автору́чкой.

Лю́ба, иди́ к доске́! Пиши́ ме́лом!

Я иду́ к доске́, я пишу́ ме́лом.

Чем они́ пи́шут дикто́вку?

Ле́на пи́шет автору́чкой, а Бори́с карандашо́м.

2. Изуча́йте языки́!

Вы уже́ уме́ете говори́ть по-ру́сски, А́нна Анто́новна?

Немно́го уме́ю. Когда́ я была́ в Москве́, я на у́лице говори́ла с милиционе́ром по-ру́сски.

Я та́кже уже́ уме́ю немно́го говори́ть по-ру́сски. Вчера́ я была́ на заво́де. Там я с инжене́ром говори́ла по-ру́сски.

Да, хорошо́ знать языки́, англи́йский и ру́сский. Мы с учи́телем и с учи́тельницей мно́го говори́м по-ру́сски и по-англи́йски.

Когда́ вы бы́ли в Москве́, с кем вы ещё говори́ли?

Я говори́ла с де́вочкой А́ней и ма́льчиком Андре́ем. Они́ расска́зывали, как они́ живу́т в Москве́.

Вы слу́шали, как ма́льчики и де́вочки пе́ли ру́сские пе́сни?

Да, вме́сте с А́ней я слу́шала ру́сские пе́сни. Я понима́ла все слова́.

3. Това́рищи друг дру́гу помога́ют.

К кому́ сего́дня идёт Анто́н?

Анто́н сего́дня идёт к Серге́ю. Серге́й бу́дет ему́ помога́ть.

Я не всё понима́ю, что говори́т учи́тель. Ты бу́дешь мне помога́ть в рабо́те?

Да, я тебе́ бу́ду помога́ть. Я тебе́ бу́ду объясня́ть но́вые слова́. Иди́ ко мне по́сле шко́лы.

Я пло́хо зна́ю англи́йский и ру́сский языки́. Ты бу́дешь со мной писа́ть и чита́ть?

Да, я с тобо́й бу́ду рабо́тать. Я с тобо́й бу́ду мно́го говори́ть.

Э́то хорошо́. Я бу́ду тебя́ спра́шивать, а ты бу́дешь мне отвеча́ть.

Ты то́лько спра́шивай меня́, а я тебе́ бу́ду отвеча́ть.

Вчера́ я не́ был* в кла́ссе. Учи́тель спра́шивал обо мне?

Нет, учи́тель о тебе́ не говори́л, но он зна́ет, что ты был до́ма. Он та́кже зна́ет, что я с тобо́й рабо́таю.

Андре́й то́же с тобо́й рабо́тает?

Нет, с Андре́ем я не рабо́таю, с ним рабо́тает Фёдор.

Ты ви́дел Рома́на?

Да, я его́ ви́дел. Я вме́сте с ним был у до́ктора.

Я сего́дня не была́ в шко́ле. Учи́тельница уже́ расска́зывала о Ре́пине?

Да, о нём она́ уже́ расска́зывала. Там у меня́ на столе́ лежи́т кни́га о Ре́пине. Бери́ кни́гу и чита́й!

* Vor был, бы́ло und бы́ли zieht не den Akzent auf sich. Es heißt: не́ был, не́ было, не́ были, aber не была́.

Ты сего́дня бу́дешь со мной игра́ть на у́лице?	Нет, сего́дня я не бу́ду игра́ть. По́сле обе́да я иду́ к Алексе́ю, с ним я бу́ду рабо́тать.
Бы́ли Ири́на и А́нна в кино́?	Они́ не́ были в кино́, они́ помога́ли Ни́не.

4. Что у кого́ есть?

У учи́теля есть телефо́н?	Да, у него́ есть телефо́н.
У тебя́ есть велосипе́д?	Да, у меня́ но́вый велосипе́д.
У Ива́на есть кни́га о Пу́шкине?	Да, кни́га о Пу́шкине у него́ есть.
А неме́цкий журна́л у него́ есть?	Есть, я у него́ ви́дел но́вый неме́цкий журна́л.
Есть ли у инжене́ра автомоби́ль?	Да, у него́ большо́й, хоро́ший автомоби́ль.
Рома́н, есть ли у тебя́ гармо́ника?	У меня́ до́ма есть гармо́ника.
У Ю́ры есть дрессиро́ванная соба́ка?	Да, у него́ есть соба́ка. Он вчера́ на у́лице гуля́л с соба́кой.
Есть ли у тебя́ бутербро́ды?	Есть. Они́ лежа́т у меня́ в су́мке.
У ма́льчика тепе́рь кани́кулы?	Да, у него́ тепе́рь кани́кулы.

5. Фе́дя е́дет в дере́вню.

Тепе́рь у Фе́ди хоро́шая пора́. У него́ кани́кулы.
По́сле рабо́ты в шко́ле он тепе́рь бу́дет отдыха́ть.
Де́душка и ба́бушка Фе́ди живу́т в дере́вне. Де́душка — крестья́нин. Фе́дя из го́рода е́дет к де́душке и ба́бушке.
Вчера́ он ещё сиде́л в кла́ссе, а сего́дня он уже́ сиди́т в по́езде. По́ездом он е́дет в дере́вню.
Хорошо́ е́хать на кани́кулы! Что Фе́дя бу́дет де́лать в дере́вне? Ра́но у́тром он бу́дет встава́ть, бу́дет за́втракать вме-

сте с де́душкой и ба́бушкой. Пото́м он бу́дет игра́ть во дворе́, гуля́ть в лесу́.

У де́душки больша́я соба́ка Барбо́с. Фе́дя бу́дет гуля́ть с Барбо́сом, бу́дет с ним игра́ть.

Фе́дя не то́лько отдыха́ть бу́дет, но он та́кже бу́дет помога́ть де́душке и ба́бушке в рабо́те. Фе́дя — ма́льчик, но он уже́ уме́ет рабо́тать. Он бу́дет рабо́тать в саду́.

В дере́вне живёт та́кже Серге́й. Фе́дя зна́ет Серге́я хорошо́. Серге́й хоро́ший това́рищ. У него́ тепе́рь то́же кани́кулы. С Серге́ем Фе́дя бу́дет игра́ть в саду́, гуля́ть в лесу́.

У Серге́я есть гармо́ника. Серге́й игра́ет на гармо́нике и о́чень хорошо́ поёт ру́сские пе́сни. Ма́льчики вме́сте бу́дут петь пе́сни.

6. Арти́ст

Дире́ктор ци́рка сиди́т в кре́сле. На столе́ стои́т телефо́н. Звоно́к!

Дире́ктор: Пожа́луйста, кто говори́т?
Го́лос: Здра́вствуйте! Говорю́ я с дире́ктором ци́рка?
Дире́ктор: Да, здесь говори́т дире́ктор.

Го́лос:	Здра́вствуйте, това́рищ дире́ктор! Здесь говори́т арти́ст. Я хочу́ (will) рабо́тать в ци́рке.
Дире́ктор:	А что вы уме́ете?
Го́лос:	Я уме́ю всё. Я жонглёр, уме́ю игра́ть на гармо́нике и петь. Пою́ я ру́сские, неме́цкие и англи́йские пе́сни.
Дире́ктор:	А э́то всё, что вы уме́ете? Э́то все уме́ют.
Го́лос:	Хорошо́, но здесь говори́т не челове́к, а дресиро́ванная соба́ка.

7. Фёдор и Ива́н

Фёдор — крестья́нин. Из дере́вни он везёт дрова́ в го́род. Ему́ навстре́чу идёт Ива́н.

Фёдор:	Здра́вствуй, Ива́н!
Ива́н:	Здра́вствуй, Фёдор! Что ты там везёшь?
Фёдор:	Я везу́ се́но, хоро́шее се́но.
Ива́н:	Како́е се́но, я ви́жу, что ты дрова́ везёшь.
Фёдор:	А е́сли ви́дишь, что дрова́, почему́ (warum) ты меня́ спра́шиваешь?

Übungen

a) Beantworte in ganzen Sätzen folgende Fragen zu den Texten 5 und 6 der Lesestoffe:

1. Где и у кого́ Фе́дя бу́дет отдыха́ть? 2. Что он бу́дет де́лать? 3. Кто де́душка Фе́ди? 4. Кака́я соба́ка есть у де́душки? 5. Кто ещё живёт в дере́вне? 6. С кем Фе́дя бу́дет играть в саду́ и гуля́ть в лесу́? 7. Кто игра́ет на гармо́нике? 8. С кем Фе́дя бу́дет петь ру́сские пе́сни? 9. С кем говори́л дире́ктор ци́рка? 10. Что уме́ет арти́ст?

b) Schreibe die nachstehenden Texte ab und setze Betonungszeichen:

1. Тамара не только очень хорошая ученица, она также умеет хорошо петь. Вчера вечером она в школе пела русские песни. Иван и Олег играли на гармонике. Директор школы говорил с Тамарой и с Иваном.
2. Отец Алексея — крестьянин. Алексей раньше жил у бабушки в городе. Теперь он живёт у отца в деревне. Але-

ксей — мой товарищ. У него есть дрессированная собака. Сегодня я вместе с Алексеем гулял в лесу. Мы играли с собакой. Завтра мы будем работать в саду. Мы друг другу помогаем в работе.

3. Роман идёт из библиотеки домой. Ему навстречу идёт Борис.
   — Здравствуй, Роман! Куда ты идёшь?
   — Здравствуй, Борис! Я иду домой, а ты куда?
   — Я иду в цирк. Иди со мной!
   — Нет. У меня сегодня будет Антон. Я работаю с Антоном. Я ему помогаю. Антон плохо знает немецкий язык. Я с ним говорю и пишу по-немецки.
   — До свидания, Роман!
   — До свидания, Борис!

c) Bilde 20 Sätze.

Muster: У де́вочки неме́цкая газе́та.

У	де́вочка учи́тель брат ма́льчик оте́ц сестра́ крестья́нин това́рищ	неме́цкая газе́та ру́сский журна́л больша́я соба́ка но́вая гармо́ника англи́йский уче́бник высо́кий го́лос хоро́ший велосипе́д ру́сское письмо́

Bilde 6 Sätze.

Muster: У него́ но́вый дом.

У	он я ты	но́вый дом дрессиро́ванная соба́ка большо́е кре́сло хоро́шая гармо́ника

Bilde je 5 Sätze im Präsens und im Präteritum.

Muster: Ле́на объясня́ет ему́ ка́рту.
Ле́на объясня́ла ему́ ка́рту.

Ле́на Бори́с Ли́да Пётр	объясня́ть	он ты я	ка́рта пе́сня сло́во текст

Bilde 15 Sätze im Präteritum.

Muster: Дире́ктор ви́дел тебя́ в по́езде.

дире́ктор учителя́ ма́ма крестья́нин милиционе́ры сестра́	ви́деть	ты я он	в	по́езд шко́ла дере́вня цирк кли́ника библиоте́ка

Bilde 20 Sätze im Futurum.

Muster: Я бу́ду рабо́тать с Рома́ном.

я он она́ вы они́ мы	рабо́тать игра́ть гуля́ть	с	Рома́н Ю́ра Андре́й Тама́ра Серге́й А́ня

Bilde je 10 Sätze im Präsens und im Präteritum.

Muster: **Дирéктор говори́т с ма́льчиком о рабо́те.**
Дирéктор говори́л с ма́льчиком о рабо́те.

дирéктор ма́ма учи́тельница арти́ст крестья́нин милиционéр	говори́ть	с	ма́льчик дéвочка това́рищ отéц инженéр учени́ца	о об	рабо́та журна́л автомоби́ль письмо́ го́род дерéвня

Bilde je 5 Sätze im Präsens und im Präteritum.

Muster: **Ни́на пи́шет со мной письмо́.**
Ни́на писа́ла со мной письмо́.

Ни́на ма́льчик това́рищи Фéдя	писа́ть чита́ть	с со	я ты он	письмо́ текст дикто́вка

Bilde 10 Sätze im Präsens.

Muster: **Друг éдет к нему́.**

друг ма́ма това́рищи	éхать идти́	к ко	он я ты

Bilde je 5 Sätze im Präsens und im Präteritum.

Muster: **Учи́тельница расска́зывает отцу́ о тебé.**
Учи́тельница расска́зывала отцу́ о тебé.

учи́тельница инженéр дéвочки крестья́нин	расска́зывать	отéц брат сестра́ това́рищ	о обо	ты он я

d) Übersetze:

1. Ich kann auf der Ziehharmonika spielen. 2. Er kann nur russisch singen, wir singen auch deutsch. 3. Das ist ein schönes Lied. 4. Wir singen gemeinsam ein Lied. 5. Hast du auch eine Ziehharmonika? 6. Ja, ich habe eine Ziehharmonika. 7. Der Künstler hat einen Hund. 8. Er spielt mit dem Hund im Garten. 9. Wir spielten auch im Garten. 10. Ist dies dein Hund? 11. Nein, das ist der Hund des Bauern. 12. Das ist ein dressierter Hund. 13. Wir gingen im Wald spazieren. 14. Ich ruhe mich zu Hause aus. 15. Die Jungen und Mädchen fahren ins Dorf in die Ferien. 16. Sie fahren mit dem Zug. 17. Dort kommt (идёт) der Zug. 18. Fedja und Nina waren im Zirkus. 19. Ich gehe ihm entgegen. 20. Ist der Direktor hier? 21. Ich weiß nicht, wo er ist. 22. Ist das die Stimme des Direktors? 23. Ja, das ist die Stimme des Direktors. 24. Er ist mit dem Ingenieur im Zimmer. 25. Ihr gebt ihm das Buch. 26. Was für ein Mensch ist er? 27. Er ist ein guter Kamerad. 28. Irina kann noch nicht schreiben. 29. Hast du mit dem Bauern gesprochen? 30. Ja, ich habe mit ihm gesprochen. 31. Die Schüler helfen einander. 32. Iwan und Roman fahren (transportieren) Brennholz ins Dorf, Fedja fährt Heu.

11

1. Ната́ша и Ни́ночка счита́ют.

У Ната́ши ма́ленькая сестра́ Ни́ночка. Ната́ша её о́чень лю́бит. Ка́ждый день по́сле шко́лы она́ игра́ет с Ни́ночкой. Вчера́ Ната́ша гуля́ла с ней в саду́. Она́ ей расска́зывала о ци́рке.

Сего́дня на у́лице стои́т плоха́я пого́да. Ната́ша и Ни́ночка игра́ют в ко́мнате. Ни́ночка ещё ма́ленькая, но она́ уже́ уме́ет немно́го счита́ть. Ната́ша с ней счита́ет.

Сперва́ счита́ет Ната́ша, а пото́м счита́ет Ни́ночка. Она́ счита́ет:

— Оди́н, два, три, четы́ре, пять, шесть, семь, во́семь, де́вять, де́сять.

Ната́ша ей говори́т:

— Пра́вильно, ты счита́ешь уже́ хорошо́. Счита́й тепе́рь, ско́лько три и два?

— Три и два бу́дет пять.
— А ско́лько четы́ре плюс шесть?
— Четы́ре плюс шесть = де́вять.
— Нет, э́то непра́вильно, — объясня́ет Ната́ша сестре́, — четы́ре плюс шесть = де́сять. А ско́лько де́сять ми́нус два?
— Де́сять ми́нус два = во́семь.

Пото́м Ната́ша берёт из стола́ лист бума́ги и пи́шет карандашо́м:

$3 + 4 =$ $\quad 10 - 5 =$ $\quad 6 + 3 =$
$6 + 2 =$ $\quad 9 - 8 =$ $\quad 7 - 1 =$

Ни́ночка счита́ет:

$3 + 4 = 7$ $\quad 10 - 5 = 5$ $\quad 6 + 3 = 9$
$6 + 2 = 8$ $\quad 9 - 8 = 1$ $\quad 7 - 1 = 6$

— Хорошо́, — говори́т ей Ната́ша, — всё бы́ло пра́вильно, ты тепе́рь уже́ уме́ешь хорошо́ счита́ть.

МЫ СЧИТА́ЕМ

Де́сять плюс оди́н бу́дет оди́ннадцать. Де́сять плюс два = двена́дцать. Де́сять плюс три = трина́дцать. Пятна́дцать ми́нус оди́н = четы́рнадцать. Пятна́дцать плюс пять = два́дцать. Два́дцать ми́нус четы́ре = шестна́дцать. Два́дцать ми́нус три = семна́дцать. Семна́дцать плюс оди́н = восемна́дцать, а семна́дцать плюс два = девятна́дцать.

Счита́й:	10 + 6 =	11 + 7 =	12 + 8 =
	11 + 3 =	19 — 2 =	15 — 13 =

Два́дцать плюс оди́н = два́дцать оди́н. Два́дцать плюс два = два́дцать два. Два́дцать плюс семь = два́дцать семь, а два́дцать плюс де́сять = три́дцать. Три́дцать плюс де́сять = со́рок. Со́рок плюс де́сять = пятьдеся́т. Три́дцать плюс три́дцать = шестьдеся́т, а три́дцать плюс со́рок = се́мьдесят. Со́рок плюс со́рок = во́семьдесят, а со́рок плюс пятьдеся́т = девяно́сто. По-неме́цки „hundert" — по-ру́сски „сто".

2. Вопро́сы и отве́ты

СЕРГЕ́Й СПРА́ШИВАЕТ, А НИКОЛА́Й ЕМУ́ ОТВЕЧА́ЕТ.

Никола́й, каки́е там стоя́т автомоби́ли?	У заво́да стоя́т но́вые автомоби́ли. Э́то автомоби́ли инжене́ров.
А там у шко́лы, э́то каки́е автомоби́ли?	Э́то то́же но́вые автомоби́ли. Э́то автомоби́ли учителе́й и учи́тельниц.
Каки́е там стоя́т велосипе́ды?	У стены́ стоя́т но́вые велосипе́ды. Э́то велосипе́ды ученико́в и учени́ц.
Каки́е там о́кна?	Там высо́кие о́кна. Э́то о́кна ко́мнат дире́ктора.
Каки́е там лежа́т портфе́ли?	Там лежа́т больши́е портфе́ли. Э́то портфе́ли ма́льчиков.
Кто вчера́ говори́л по́сле слов дире́ктора?	По́сле слов дире́ктора говори́ла А́нна Ива́новна.

Ты зна́ешь инжене́ров заво́да?

Да, я зна́ю инжене́ров Петро́ва и Смирно́ва.

Где ты ви́дел учителе́й?

Я ви́дел учителе́й в по́езде.

А учени́ц ты где ви́дел?

Я ви́дел учени́ц на у́лице.

В МАГАЗИ́НЕ

Ско́лько сто́ит э́та неме́цкая кни́га?

Кни́га сто́ит оди́н рубль.

А ско́лько сто́ит э́тот большо́й но́вый англи́йский журна́л?

Журна́л сто́ит два рубля́. Он ра́ньше сто́ил четы́ре рубля́.

Вот здесь я ви́жу альбо́м го́рода Москвы́ и две кни́ги о Пу́шкине. Пожа́луйста, ско́лько они́ сто́ят?

Альбо́м сто́ит до́рого — де́сять рубле́й, а кни́ги дешёвые. Они́ сто́или три рубля́, а тепе́рь сто́ят то́лько рубль.

А э́ти две кни́ги о Ре́пине, ско́лько они́ сто́ят?

Кни́ги о Ре́пине не дороги́е, они́ сто́ят два рубля́.

Я беру́ англи́йский журна́л и кни́ги о Пу́шкине и Ре́пине.

Журна́л и четы́ре кни́ги вме́сте сто́ят пять рубле́й.

Пожа́луйста, вот пять рубле́й.

Большо́е спаси́бо. До свида́ния.

ТАТЬЯ́НА СПРА́ШИВАЕТ, А ЛЕ́НА ЕЙ ОТВЕЧА́ЕТ.

Ле́на, у тебя́ есть брат?

Да, у меня́ два бра́та.

А где они́?

Оди́н брат ещё ма́ленький, он до́ма, а друго́й в шко́ле.

Зна́ешь ты, есть ли у Лю́бы сестра́?

Да, у неё две сестры́. Одна́ сестра́ живёт в Ки́еве, а друга́я в Ленингра́де.

Ле́на, у тебя́ ско́лько ко́мнат?

У меня́ то́лько одна́ ко́мната.

А есть в ко́мнате окно́?

В ко́мнате мно́го о́кон, четы́ре окна́ на у́лицу, а одно́ окно́ в сад.

Ско́лько дней твоя́ подру́га А́ня была́ в Москве́?

Она́ была́ в Москве́ четы́ре дня.

Где бы́ли Никола́й и Андре́й?

Они́ бы́ли не́сколько дней в кли́нике.

Есть у тебя́ пи́сьма из Москвы́?

Да, у меня́ есть не́сколько пи́сем из Москвы́.

Ско́лько ма́льчиков и ско́лько де́вочек в кла́ссе?

В кла́ссе оди́ннадцать де́вочек и четы́ре ма́льчика.

КОТО́РЫЙ ЧАС?

У Никола́я но́вые часы́?

Да, у него́ есть но́вые часы́.

Никола́й, ско́лько сто́или твои́ но́вые часы́?

Мои́ часы́ сто́или трина́дцать рубле́й.

Кото́рый час?

Тепе́рь два часа́ и две мину́ты.

А твои́ часы́ иду́т пра́вильно?

Да, они́ иду́т пра́вильно.

Ю́ра, тебе́ пора́ идти́ домо́й, уже́ о́чень по́здно!

Ещё не так по́здно, мои́ часы́ пока́зывают то́лько оди́ннадцать часо́в и четы́ре мину́ты.

Твои́ часы́ иду́т непра́вильно, мои́ часы́ уже́ пока́зывают двена́дцать часо́в и три́дцать мину́т.

Мои́ часы́ сто́или о́чень до́рого: со́рок оди́н рубль, но они́ уже́ не́сколько дней иду́т непра́вильно.

КОГДА́?

Ива́н, когда́ ты у́тром встаёшь?

Я ка́ждый день встаю́ ра́но, в шесть часо́в.

А когда́ встаю́т твоя́ ма́ма и твой па́па?

Ма́ма встаёт в шесть часо́в три́дцать мину́т, а оте́ц в семь часо́в.

Когда́ вы за́втракаете?	Мы за́втракаем в семь часо́в три́дцать мину́т.
Когда́ твой оте́ц идёт на рабо́ту?	Он идёт из до́ма в во́семь часо́в пятна́дцать мину́т.
А когда́ ты идёшь в шко́лу?	Я иду́ в семь часо́в со́рок пять мину́т.
Когда́ вы обе́даете?	Мы обе́даем в час дня.

3. Письмо́ Кла́уса Ма́нфреду

Дорого́й Ма́нфред!

Пишу́ я тебе́ э́то письмо́ по-ру́сски. Я тебе́ уже́ расска́зывал, что я то́же изуча́ю ру́сский язы́к. Сперва́ я знал то́лько ма́ло слов, а тепе́рь я уже́ зна́ю мно́го слов и уме́ю немно́го чита́ть и говори́ть по-ру́сски. Вчера́ ве́чером я слу́шал Москву́. Я понима́л мно́го слов. Я та́кже люблю́ слу́шать ру́сские пе́сни. Я уже́ зна́ю не́сколько пе́сен.
Сего́дня по́сле обе́да я был у Во́льфганга. Ты его́ зна́ешь, мы раз вме́сте игра́ли на гармо́нике. У Во́льфганга две ко́мнаты. Ка́ждая ко́мната о́чень больша́я. Одна́ ко́мната — библиоте́ка. Ско́лько у Во́льфганга книг! В библиоте́ке всю́ду стоя́т больши́е шкафы́. На стене́ ко́мнаты я чита́л слова́:

Бу́дешь кни́ги чита́ть,
бу́дешь всё знать!

У Во́льфганга та́кже мно́го журна́лов и не́сколько карти́н. Он мне пока́зывал но́вые англи́йские и неме́цкие журна́лы. Во́льфганг хорошо́ зна́ет англи́йский язы́к и лю́бит чита́ть англи́йские кни́ги. Когда́ на у́лице стои́т плоха́я пого́да, он сиди́т в библиоте́ке в кре́сле и чита́ет.
Как ты пожива́ешь? Каки́е у тебя́ но́вые учителя́ и това́рищи?

Сего́дня уже́ по́здно, и я конча́ю моё письмо́.

С приве́том!

Твой друг Кла́ус

4. Как вы пожива́ете?

— Здра́вствуйте, Ива́н Рома́нович!
— Здра́вствуйте, Андре́й Никола́евич! Как вы пожива́ете?
— Спаси́бо, хорошо́.
— Что вы тепе́рь де́лаете?
— Ничего́.
— А что де́лает ва́ша сестра́, Ве́ра Никола́евна?
— Она́ мне помога́ет.

5. Ни́ночка пи́шет подру́ге.

Ни́ночка сиди́т в ко́мнате отца́ за столо́м. На столе́ лежи́т большо́й лист бума́ги. Ни́ночка карандашо́м выво́дит кара́кули[1]. Ма́ма спра́шивает её:
— Что ты там де́лаешь, Ни́ночка?
— Я пишу́ Ле́ночке[2] письмо́.
— Но ты ведь[3] ещё ма́ленькая и не уме́ешь писа́ть.
— Ничего́, Ле́ночка то́же ма́ленькая и не уме́ет чита́ть.

Übungen

a) Beantworte folgende Fragen zum Text 1 der Lesestoffe:

1. Кто Ни́ночка? 2. Кто ка́ждый день игра́ет с Ни́ночкой? 3. Где гуля́ли де́вочки? 4. О чём расска́зывала сестра́ Ни́ночке? 5. Кака́я была́ пого́да? 6. Где игра́ют де́вочки, когда́ на у́лице стои́т плоха́я пого́да? 7. Что они́ де́лают? 8. Уме́ет ли Ни́ночка уже́ счита́ть? 9. Кого́ лю́бит Ната́ша?

b) Ersetze die Vornamen durch die entsprechenden Formen des Personalpronomens:

1. Ма́ма пока́зывает Лю́бе часы́. 2. У Лю́бы дороги́е часы́. 3. Ма́ма говори́т с Лю́бой. 4. У Ната́ши дешёвые часы́. 5. Анто́н даёт А́не я́блоко. 6. А́ня игра́ет с Ни́ночкой. 7. Она́ пока́зывает Ни́ночке карти́ну. 8. Учи́тельница ви́дела А́ню в магази́не. 9. Она́ говори́ла с А́ней. 10. Учи́тельница говори́ла о Ли́де. 11. Ма́ма о́чень лю́бит Ни́ночку.

[1] выво́дит кара́кули malt Krakel. [2] Ле́ночка Lenchen. [3] ведь doch.

c) Bilde je 10 Sätze im Präsens und Futurum.

Muster: **Пена́л сто́ит оди́н рубль.**
Пена́л бу́дет сто́ить оди́н рубль.

пена́л бума́га уче́бники кни́га ка́рты журна́лы газе́ты часы́ альбо́м ла́мпа	сто́ить	1 2 3 4 6 5 10 7 8 9	рубль

d) Bilde je 10 Sätze im Präsens und Präteritum.

Muster: **Велосипе́д сто́ит два́дцать оди́н рубль.**
Велосипе́д сто́ил два́дцать оди́н рубль.

велосипе́д автору́чки портфе́ли су́мки радиоаппара́т карти́ны се́но	сто́ить	21 22 43 14 50 100 35	рубль

e) Bilde 10 Sätze im Präsens.

Muster: **В го́роде мно́го магази́нов.**

в го́роде	мно́го ма́ло не́сколько	магази́н библиоте́ка кли́ника автомоби́ль милиционе́р

Muster: В магази́не одна́ де́вочка.

в магази́не	оди́н, одна́, одно́ два, две четы́ре не́сколько мно́го ма́ло	де́вочка ма́льчик окно́ стол карти́на велосипе́д

f) Setze die in Klammern stehenden Substantive in den notwendigen Kasus:

1. Ири́на и Тама́ра отдыха́ли пять (день) в дере́вне. 2. Никола́й был три (день) в го́роде. 3. Тепе́рь два (час). 4. Гармо́ника сто́ит пятна́дцать (рубль). 5. По́езд сего́дня идёт в семь (час), а за́втра уже́ в четы́ре (час). 6. В су́мке со́рок пять (письмо́). 7. В за́ле пятьдеся́т (ма́льчик) и три́дцать во́семь (де́вочка). 8. Я ви́жу на ка́рте три (дере́вня). 9. Часы́ Алексе́я пока́зывают два́дцать два (час) и девятна́дцать (мину́та). 10. У меня́ ещё не́сколько (вопро́с). 11. Фёдор зна́ет мно́го (сло́во) по-неме́цки. 12. Ма́льчики игра́ли на у́лице мно́го (час). 13. У Тама́ры мно́го (подру́га).

g) Lies nachstehende Sätze mit den verschiedenen Zeitangaben:

Оте́ц за́втракает в	7^{00}	(9^{30}, 6^{25}, 8^{50}).
Мы обе́даем в	12^{00}	(1^{00}, 11^{45}, 14^{00}).
По́езд идёт в	17^{15}	(20^{10}, 21^{05}, 23^{35}).

h) Beantworte folgende Fragen in ganzen Sätzen:

1. Кака́я сего́дня пого́да? (schlecht). 2. Кака́я э́то рабо́та? (sehr gut). 3. Каки́е э́то ма́льчики и де́вочки? (klein). 4. Како́й э́то язы́к? (englisch). 5. Каки́е э́то уче́бники? (billig). 6. Каки́е э́то часы́? (teuer). 7. Како́е э́то окно́? (groß). 8. Каки́е э́то дома́? (hoch).

i) Übersetze:

1. Jedes Buch kostet 2 Rubel. 2. Er kennt jedes deutsche Wort. 3. Jeder Schüler kann ein wenig englisch sprechen. 4. Das war eine sehr schlechte

Arbeit, ich habe sie gelesen. 5. Nikolai schreibt gern (liebt zu schreiben) deutsch. 6. Er zeigte dem Freund Briefe. 7. Ich habe eine kleine Schwester; heute spielte ich mit ihr im Zimmer. 8. Roman kennt alle Antworten, er rechnet richtig. 9. Das ist ein sehr teures Buch, das andere Buch ist billig. 10. Ninotschka zeigt der Mutter die neue Uhr. 11. Großvater und Großmutter aßen um 1 Uhr zu Mittag. 12. Wenn schönes Wetter sein wird, werden die Schüler im Wald spielen. 13. Lehrer und Schüler erholten sich auf dem (im) Dorf. 14. Die Jungen gingen draußen (auf der Straße) spazieren. 15. Wir zeigten dem Lehrer ein Album der Städte Moskau und Leningrad. 16. Iwan war 5 Tage (lang) zu Hause. 17. Anton war zwei Tage (lang) bei der Großmutter. 18. Wir zählen schon die Tage: Bald werden Ferien sein.

1. На́ши учителя́

Рома́н Серге́евич — наш учи́тель му́зыки. Мы лю́бим му́зыку. У нас в кла́ссе не́сколько ученико́в, кото́рые зна́ют мно́го пе́сен и кото́рые хорошо́ игра́ют на гармо́нике. Рома́н Серге́евич с на́ми поёт неме́цкие пе́сни.

У Бори́са Фёдоровича мы изуча́ем англи́йский и неме́цкий языки́. Он нам объясня́ет но́вые англи́йские и неме́цкие слова́ и говори́т с на́ми по-англи́йски и́ли по-неме́цки.
Еле́на Никола́евна с на́ми счита́ет. Она́ на́ша учи́тельница матема́тики. Сего́дня она́ говори́ла о нас с дире́ктором шко́лы. Ско́ро бу́дут кани́кулы, и на́ши де́вочки вме́сте с Еле́ной Никола́евной де́сять дней бу́дут отдыха́ть в дере́вне.

2. Разгово́р

Я с ва́ми уже́ говори́л о Москве́?

Да, Андре́й Рома́нович, о Москве́ вы с на́ми уже́ говори́ли.

А о Ленингра́де я вам уже́ расска́зывал?

Нет, о Ленингра́де вы нам ещё не расска́зывали.

Пожа́луйста, ка́ждый из вас смо́трит тепе́рь на ка́рту! Где го́род Ленингра́д?

Вот Ленингра́д. Здесь река́ Нева́, а там уже́ мо́ре. Э́то Балти́йское мо́ре.

Пра́вильно. Кто из де́вочек уже́ была́ в Ленингра́де?

Из нас в Ленингра́де была́ то́лько Ли́да.

За́втра мы бу́дем смотре́ть кинофи́льм о Ленингра́де.

Э́то хорошо́. Неда́вно мы смотре́ли но́вый кинофи́льм о Москве́.

3. Подру́ги

К Ири́не почти́ ка́ждый день прихо́дят подру́ги Ла́ра и Ни́на. Ла́ра и Ни́на пло́хо зна́ют матема́тику. Они́ ча́сто счита́ют непра́вильно. Ири́на, кото́рая хорошо́ уме́ет счита́ть, им помога́ет. Она́ с ни́ми счита́ет. По́сле рабо́ты де́вочки ча́сто гуля́ют в саду́ и́ли на у́лице. То́лько неда́вно они́ вме́сте бы́ли в кино́ и смотре́ли кинофи́льм о Во́лге.

4. Почему́?

Алексе́й и Фёдор, почему́ вы вчера́ ве́чером не смотре́ли кинофи́льм о СССР?

Мы не́ были в кино́, потому́ что у нас бы́ли това́рищи. Мы с ни́ми рабо́тали три часа́.

Оле́г, почему́ ты по́сле обе́да не прихо́дишь к нам?

Я не прихожу́ к вам, потому́ что я по́сле обе́да ча́сто ещё рабо́таю в саду́.

Почему́ Тама́ра не идёт с на́ми гуля́ть?

Она́ с ва́ми не идёт гуля́ть, потому́ что плоха́я пого́да.

Почему́ Татья́на Никола́евна с ва́ми не е́дет к мо́рю?

Она́ с на́ми не е́дет к мо́рю, потому́ что она́ не лю́бит быть у мо́ря.

Почему́ Анто́н не зна́ет отве́та?

Он не зна́ет отве́та, потому́ что он пло́хо понима́ет по-ру́сски.

Почему́ Анто́н не спра́шивает Оле́га и́ли Андре́я? Они́ хоро́шие това́рищи и ему́ помога́ть бу́дут.

Он их не спра́шивает, потому́ что он их не зна́ет. Он здесь в го́роде живёт то́лько не́сколько дней.

Почему́ Ни́на опя́ть не зна́ет слов?

Она́ их не зна́ет, потому́ что она́ вчера́ не была́ в кла́ссе.

Почему́ дире́ктор зовёт Лю́бу и Ната́шу?

Он их зовёт, потому́ что они́ не́ были во дворе́.

Вы уже́ чита́ли но́вый неме́цкий журна́л, Фёдор Никола́евич?

Нет, я журна́ла ещё не чита́л, потому́ что я вчера́ по́сле рабо́ты был в кли́нике.

Где моё письмо́? Где оно́? Ты его́ ви́дел, Андре́й?

Нет, я не ви́дел письма́, потому́ что я был в ко́мнате и слу́шал му́зыку.

5. Как тебя́ зову́т?

Но́вый учи́тель спра́шивает де́вочку:
— Как тебя́ зову́т?
Де́вочка отвеча́ет учи́телю:
— Моё и́мя Еле́на. Моя́ фами́лия Смирно́ва. Мои́ подру́ги меня́ зову́т Ле́ной. До́ма ма́ма меня́ зовёт то́же Ле́ной.
Учи́тель смо́трит на ма́льчика:
— А тебя́ как зову́т?
— Меня́ зову́т Ива́ном. Моя́ фами́лия Бобро́в.

6. Как ва́ше и́мя и о́тчество?

Как ва́ша фами́лия? — Моя́ фами́лия Ивано́в.
А ва́ше и́мя и о́тчество? — Серге́й Никола́евич.
А как ва́ше и́мя и о́тчество? — А́нна Рома́новна.

7. Больша́я страна́

Ви́ктор стои́т у ка́рты СССР. Вот се́вер, юг, восто́к и за́пад. Ви́ктор пока́зывает на се́вере го́род Му́рманск. Му́рманск лежи́т у мо́ря.
Ленингра́д та́кже лежи́т у мо́ря. Ви́ктор уже́ не́сколько раз был в Ленингра́де. Он зна́ет Балти́йское мо́ре. Он нам расска́зывает о реке́ Неве́ и о мо́ре. Мы слу́шаем его́ внима́тельно и смо́трим на ка́рту.
Ю́ра пока́зывает друго́й го́род. Он нам пока́зывает Москву́. Москва́ — э́то столи́ца СССР. Ю́ра то́лько неда́вно был в Москве́. Он нам расска́зывает о столи́це.
Вот там на ю́ге СССР — го́род Оде́сса. Ле́на идёт к ка́рте и пока́зывает Оде́ссу. Пото́м она́ пока́зывает ре́ки: Днепр, Дон и Во́лгу.
А где Кавка́з? Ни́на встаёт, идёт к ка́рте и пока́зывает Кавка́з. Кака́я там гора́? Э́то о́чень высо́кая гора́, э́то Эльбру́с. На восто́ке СССР мы ви́дим реку́ Аму́р и больши́е города́ Хаба́ровск и Владивосто́к. На за́паде лежа́т города́ Минск и Брест. Пото́м Никола́й и Ви́ктор пока́зывают моря́. Они́ пока́зывают не́сколько море́й. Вот на се́вере Бе́лое мо́ре, а там Балти́йское мо́ре. На ю́ге мы ви́дим Чёрное мо́ре.
СССР о́чень больша́я страна́.
Мы ча́сто говори́м „СССР“. „СССР“ по-неме́цки „UdSSR“. Говоря́т та́кже „Сове́тский Сою́з“. „Сове́тский Сою́з“ по-неме́цки „Sowjetunion“. Ра́ньше говори́ли то́лько „Росси́я“. „Росси́я“ по-неме́цки „Rußland“.

8. Пу́динг[1]

Па́па, ма́ма, Бори́с и Ни́ночка сидя́т за столо́м и обе́дают.
На столе́ стои́т пу́динг.
Ма́ма спра́шивает Ни́ночку:
— Ни́ночка, ты не ку́шаешь[2]?

— Нет, не ку́шаю.
— А почему́ ты не ку́шаешь?
— Я не ку́шаю, потому́ что пу́динг ещё живёт.

9. Два бра́та

— У вас есть брат, Никола́й Андре́евич?
— Есть, Татья́на Ива́новна.
— Оди́н?
— Да, оди́н.
— Стра́нно[3], я спра́шивала ва́шу[4] сестру́, а она́ говори́т, что у неё два бра́та.

[1] пу́динг Pudding. [2] ку́шать essen. [3] стра́нно merkwürdig. [4] ва́шу (Akk.) Ihre.

Übungen

a) Schreibe den nachstehenden Text ab und setze Betonungszeichen:

Какая это страна? Это очень большая страна — это СССР. Говорят „СССР" или „Советский Союз". Раньше говорили только „Россия".
Смотри на север! Какие города, реки, моря и горы ты видишь на карте? Я вижу на севере город Мурманск. Вот Белое море. Здесь Балтийское море. У моря лежит город Ленинград. Вот река Нева. Ленинград также лежит на Неве.
А где Чёрное море? Чёрное море на юге СССР. У моря лежит город Одесса. Вот Днепр, а там Волга. Город Днепропетровск лежит на Днепре.
Здесь на западе СССР я вижу города Минск и Брест.
А где высокие горы Кавказа? Вот они. Вот Эльбрус. Эльбрус очень высокая гора.
Это советская карта? Да, это советская карта.

b) Ersetze die Vornamen durch die entsprechenden Formen des Personalpronomens. Wähle für zwei Namen immer die Pluralform:

Muster: Отто был у Анто́на и Рома́на. Он был у них.

1. Никола́й и Ви́ктор бы́ли ча́сто у Анто́на и Рома́на. 2. Де́вочки неда́вно игра́ли с Лю́бой и Ната́шей. 3. Ба́бушка лю́бит Ни́ночку и А́ню. 4. К Андре́ю и Алексе́ю почти́ ка́ждый день прихо́дит до́ктор. 5. Дире́ктор шко́лы говори́л с отцо́м о Татья́не и Еле́не. 6. Ни́на Андре́евна е́дет с Ла́рой и О́льгой к мо́рю. 7. У Фе́ди и Бори́са есть дрессиро́ванная соба́ка. 8. Фёдор идёт сперва́ к Рома́ну и Тама́ре, а пото́м он бу́дет гуля́ть у мо́ря. 9. Ма́ма зовёт Ни́ну и А́нну домо́й. 10. Де́душка пи́шет па́пе об Анто́не и Ива́не.

c) Setze die in Klammern stehenden Personalpronomen in den notwendigen Kasus:

1. Ма́льчик почти́ ка́ждый день по́сле обе́да прихо́дит к (мы). 2. Учени́ца неда́вно вме́сте с (мы) была́ в кино́. 3. Дире́ктор (мы) расска́зывал о кинофи́льме. 4. Учи́тель с (вы) бу́дет говори́ть о матема́тике. 5. Де́вочки, как (вы) зову́т? (Мы) зову́т Ни́ной и Лю́бой. 6. Вы ви́дели милиционе́ров? Нет, мы (они́) не ви́дели. 7. Вы смотре́ли но́вые сове́тские кинофи́льмы о Кавка́зе и об Эльбру́се? Да, мы (они́) смотре́ли вчера́ по́сле шко́лы. 8. Гуля́ли ли вы с Ви́ктором и Никола́ем в саду́? Да, мы с (они́) гуля́ли почти́ три часа́. 9. Говори́ла учи́тельница о Ле́не и Ни́не? Нет, она́ о (они́) не говори́ла. 10. Татья́на зна́ет мно́го городо́в, рек, море́й и гор. Она́ (они́) пока́зывает на ка́рте.

d) Bilde 15 Sätze im Präsens. Setze dabei alle Substantive in den Plural.

Muster: У ма́льчиков бе́лые карандаши́.

у	ма́льчик мы вы они́ де́вочка учени́ца	бе́лый чёрный дешёвый плохо́й дорого́й друго́й	каранда́ш авторучка су́мка кни́га велосипе́д ла́мпа

e) Bilde je 10 Sätze im Präsens und Präteritum.

Muster: **Учи́тель пока́зывает ей ка́рты.**
Учи́тель пока́зывал ей ка́рты.

учи́тель	пока́зывать	она́	ка́рты
дире́ктор		мы	пи́сьма
па́па	дава́ть	он	
сестра́		вы	часы́
А́ня		они́	
Ива́н	объясня́ть	ты	журна́лы

f) Bilde je 10 Sätze im Präsens, im Präteritum und im Futurum.

Muster: **Ви́ктор за́втракает с ма́мой.**
Ви́ктор за́втракал с ма́мой.
Ви́ктор бу́дет за́втракать с ма́мой.

Ви́ктор	за́втракать		ма́ма
Никола́й	обе́дать	с	она́
Ли́да	гуля́ть		мы
Ю́ра	встава́ть	со	вы
Ни́на	е́хать		они́
Алексе́й	счита́ть		я

g) Bilde je 6 Sätze im Präsens und Präteritum.

Muster: **Това́рищи пи́шут о нас.**
Това́рищи писа́ли о нас.

това́рищи			мы
учителя́	писа́ть	о	они́
милиционе́р			вы
до́ктор	расска́зывать	обо	я
де́душка			он
подру́ги			она́

h) Verneine folgende Sätze:

1. Фе́дя зна́ет отве́т. 2. Дире́ктор чита́л журна́л. 3. Ви́ктор и Пётр понима́ют вопро́сы учи́теля. 4. А́ня ви́дела письмо́.

5. Мы смотре́ли кинофи́льм о СССР. 6. Вы ви́дели по́езд. 7. Де́вочки пи́шут письмо́. 8. Ле́ночка берёт каранда́ш. 9. Ю́ра зна́ет слова́. 10. Ма́ленький ма́льчик берёт портфе́ль.

i) Bilde je 10 Sätze im Präsens und Präteritum.

Muster: Ма́льчика зову́т Анто́ном. Ма́льчика зва́ли Анто́ном.

ма́льчик това́рищ он	звать	Анто́н Андре́й Никола́й

ты я друг	звать	Ю́ра Ви́ктор Фёдор

k) Bilde je 10 Sätze im Präsens und Präteritum.

Muster: Де́вочку зову́т Еле́ной. Де́вочку зва́ли Еле́ной.

де́вочка учени́ца она́	звать	Еле́на Лю́ба А́ня

я ты подру́га	звать	Ната́ша О́льга Ни́на

l) Übersetze:

1. Viktor, der Freund Olegs, wohnt im Westen der UdSSR in Brest. 2. Die Großmutter Viktors, die früher im Süden der UdSSR wohnte, wohnt jetzt im Norden, in Leningrad. 3. Im Osten der UdSSR kenne ich den Fluß Amur und die großen Städte Chabarowsk und Wladiwostok. 4. Im Norden der UdSSR liegt das Weiße Meer, im Süden das Schwarze Meer. 5. Die Hauptstadt des Landes ist Moskau. 6. Oft, fast jeden Tag, gehen wir am Meer spazieren. 7. Unlängst sah Irina einen neuen Film über Leningrad. 8. Gehst du ins Kino oder geht dein Bruder? 9. Ich gehe zusammen mit dem Bruder, aber warum fragst du? 10. Ich gehe mit euch. 11. Großvater und Großmutter kommen jeden Tag zu uns. 12. Wie lauten (sind) dein Vorname und dein Familienname? 13. Mein Vorname lautet (ist) Wolfgang, mein Familienname lautet (ist) Kruse. 14. Peter liebt Musik, er singt oft und spielt auf der Ziehharmonika. 15. Die Kreide liegt auf dem Fenster. 16. Wo liegen (sind) die hohen Berge des Kaukasus, im Norden oder im Süden der UdSSR? 17. Der Kaukasus liegt im Süden des Landes. 18. Ich kenne viele Berge und Flüsse. 19. Heute sagt und schreibt man oft „UdSSR".

1. На́ша семья́

Два го́да мы уже́ живём в столи́це СССР в Москве́.
На́ша семья́ небольша́я. У меня́ есть то́лько оди́н брат. Он ещё ма́ленький, ему́ четы́ре го́да.
Мне пятна́дцать лет. Меня́ зову́т Ни́ной.
Мои́ роди́тели ещё молоды́е. Ма́ме три́дцать шесть лет, а па́пе со́рок оди́н год.
С на́ми в до́ме та́кже живу́т де́душка и ба́бушка, роди́тели отца́. Де́душка уже́ ста́рый, ему́ се́мьдесят пять лет. Ба́бушке шестьдеся́т три го́да. Де́душка и ба́бушка ра́ньше жи́ли в дере́вне на ю́ге СССР. Роди́тели ма́мы живу́т далеко́ от Москвы́ на восто́ке страны́ в го́роде Хаба́ровске.
Недалеко́ от нас живу́т дя́дя Никола́й и тётя Ната́ша. Дя́дя Никола́й — брат отца́. Он гео́лог. Четы́ре го́да он жил и рабо́тал на се́вере СССР. То́лько неда́вно он опя́ть был в Му́рманске.
Ве́чером дя́дя и тётя ча́сто прихо́дят к нам. Дя́дя Никола́й расска́зывает о рабо́те гео́лога на се́вере. Мы его́ охо́тно слу́шаем.
Иногда́ мы все вме́сте сиди́м в ко́мнате и смо́трим телеви́зор.

2. Ско́лько тебе́ лет?

— До́брый день, ма́льчик! Как тебя́ зову́т?
— Меня́ зову́т Андре́й.
— А ско́лько тебе́ лет?
— Мне 14 лет, а ско́ро мне бу́дет 15.
— А ты кто, сестра́ Андре́я?
— Да, я сестра́ Андре́я. Меня́ зову́т Ли́дой. Мне 9 лет.
— А вот там в саду́ ещё одна́ де́вочка игра́ет.
Э́то кто?
— Э́то на́ша ма́ленькая сестра́ Ле́ночка, ей то́лько 3 го́да.

3. Граждани́н, това́рищ, господи́н

Вот идёт граждани́н Ивано́в. Он молодо́й, высо́кий. Он ру́сский. Он гео́лог. Вот гражда́нка Ивано́ва. Она́ то́же молода́я. Она́ ру́сская. Она́ инжене́р. А э́то кто? Э́то до́ктор Щу́кин, он ста́рый. Ему́ се́мьдесят оди́н год. Он то́же граждани́н СССР.

Това́рищ Смирно́в — учи́тель. Его́ мы уже́ зна́ем. Това́рищ Гра́нина — учи́тельница. Её мы то́же зна́ем. Това́рищ Смирно́в и това́рищ Гра́нина — ру́сские. Они́ сове́тские гра́ждане.

Вот господи́н и госпожа́ Кру́зе. Они́ молоды́е. Господи́н Кру́зе — не́мец, госпожа́ Кру́зе не́мка. Господи́н Кру́зе — дире́ктор заво́да в Га́мбурге. Господи́н и госпожа́ Кру́зе е́дут в Сове́тский Сою́з. Сперва́ они́ е́дут по́ездом, а пото́м летя́т на самолёте.

Госпожа́ Кру́зе почти́ два го́да изуча́ла ру́сский язы́к. Тепе́рь она́ охо́тно чита́ет ру́сские журна́лы. Она́ уме́ет немно́го говори́ть по-ру́сски, то́лько иногда́ она́ говори́т непра́вильно.

4. Разгово́р о поéздке в СССР

До́брый день, госпожа́ Шмидт!	До́брый день, госпожа́ Кру́зе!
Есть ли у вас но́вая ка́рта СССР?	Есть, она́ там в шкафу́. Вот она́.
Спаси́бо. Вы зна́ете, что мы ско́ро е́дем в Сове́тский Сою́з.	Пожа́луйста, бери́те ка́рту. Э́то бу́дет ва́ша пе́рвая поéздка в СССР?
Да, э́то на́ша пе́рвая поéздка.	А куда́ вы е́дете? Е́дете вы по́ездом?
Мы сперва́ по́ездом е́дем в Ленингра́д.	Э́то далеко́. Ленингра́д лежи́т почти́ уже́ на се́вере СССР.
Да, от Га́мбурга до Ленингра́да далеко́, приблизи́тельно ты́сяча четы́реста киломе́тров.	Ленингра́д — большо́й го́род. Неда́вно я смотре́ла телеви́зор. Пока́зывали Ленингра́д и други́е сове́тские города́.
Из Ленингра́да мы лети́м на самолёте в Ки́ев, а из Ки́ева в Днепропетро́вск.	Ки́ев — столи́ца Украи́ны. От Ленингра́да до Ки́ева приблизи́тельно ты́сяча киломе́тров.

А ско́лько киломе́тров от Ки́ева до Днепропетро́вска?

Приблизи́тельно три́ста девяно́сто киломе́тров. А в Москву́ вы лети́те?

Да, из Днепропетро́вска мы сперва́ лети́м в Волгогра́д, а из Волгогра́да в Москву́.

Ско́лько дней вы бу́дете в Ленингра́де, Ки́еве, Днепропетро́вске, Волгогра́де и Москве́?

В Ленингра́де мы бу́дем шесть дней, в Ки́еве три дня, в Днепропетро́вске два дня, в Волгогра́де три дня, а в Москве́ семь дней. Мы охо́тно е́дем в СССР.

Э́то хоро́шая пое́здка. Вы бу́дете в СССР два́дцать оди́н день. Хорошо́, что вы уме́ете немно́го чита́ть и говори́ть по-ру́сски. Я тепе́рь то́же бу́ду изуча́ть ру́сский язы́к.

5. Говори́те на уро́ке по-ру́сски!

Лю́ба, есть у тебя́ каранда́ш?

Нет, у меня́ нет карандаша́.

А авторучка у тебя́ есть?

Есть. Пожа́луйста, вот она́.

У Николáя тóже есть автору́чка?	Нет, у негó нет автору́чки.
Есть у Татья́ны бéлая бумáга?	У неё нет бумáги, а у Ни́ны есть.
У вас в клáссе был радиоаппарáт?	У нас в клáссе нé было радиоаппарáта.
Былá у Антóна кáрта СССР?	Нет, у негó нé было кáрты.
У тебя́ есть мел.	Есть. Мел лежи́т в шкафу́.
У Андрéя бы́ли кни́ги?	У негó нé было книг.
У вас скóро бу́дет телеви́зор?	У нас не бу́дет телеви́зора.
У О́льги есть бутербрóды?	У неё нет бутербрóдов.
Есть у Ивáна Ромáновича автомоби́ль?	У Ивáна Ромáновича нет автомоби́ля.
У вас бы́ли велосипéды?	Нет, у нас нé было велосипéдов.
У вас в клáссе скóлько дéвочек?	У нас в клáссе нет дéвочек.
У Ви́ктора и Ю́ры бу́дут кани́кулы?	Нет, у них тепéрь не бу́дет кани́кул.
Котóрый час? У тебя́ есть часы́?	У меня́ ещё нет часóв, но скóро бу́дут.
У когó есть часы́?	У А́нны Ивáновны есть часы́.
А́нна Ивáновна, пожáлуйста, котóрый час?	Тепéрь двенáдцать часóв и две мину́ты.

6. Пти́чка[1]

Пти́чка летáет[2],
Пти́чка игрáет,
Пти́чка поёт.
Пти́чка летáла,
Пти́чка игрáла,
Пти́чки уж[3] нет!

Где же[4] ты пти́чка,
Где ты певи́чка[5]?
В дáльнем краю
Гнёздышко вьёшь ты[6],
Там и поёшь ты
Пéсню свою́[7]. В. А. Жукóвский

7. Ю́мор[8]

Фе́дя и Ни́ночка — брат и сестра́. Фе́де четы́ре го́да, а Ни́ночке шесть лет. Фе́дя спра́шивает Ни́ночку:
— Ни́ночка, почему́ пету́х[9] закрыва́ет глаза́[10], когда́ он поёт?
Ни́ночка отвеча́ет бра́ту:
— Потому́ что он уже́ всё э́то зна́ет наизу́сть[11].

8. Зага́дка[12]

Не пти́ца[13]: петь — не поёт.
А кто во двор идёт,
она́ знать даёт.

[1] **пти́чка** Vögelchen. [2] **лета́ть** (hin und her)fliegen. [3] **уж = уже́.** [4] **же** denn. [5] **певи́чка** kleine Sängerin. [6] Im fernen Land baust du ein Nestchen. [7] dein Lied (Akk.). [8] **ю́мор** Humor. [9] **пету́х** Hahn. [10] **глаза́** Augen. [11] **наизу́сть** auswendig. [12] **зага́дка** Rätsel. [13] **пти́ца** Vogel.

Übungen

a) Bilde 20 Sätze.

Muster: **Учи́телю два́дцать де́вять лет.**

учи́тель	29		арти́ст	57	
дя́дя	31	год	милиционе́р	40	год
тётя	43	го́да	ма́ма	44	го́да
граждани́н	35	лет	гео́лог	51	лет
крестья́нин	32		учи́тельница	45	

b) Beantworte in ganzen Sätzen folgende Fragen zum Text 1 der Lesestoffe.

1. Ско́лько лет Ни́на уже́ живёт в столи́це? 2. Ско́лько лет бра́ту Ни́ны? 3. Кто ещё живёт в до́ме роди́телей Ни́ны? 4. Где живу́т роди́тели ма́мы? 5. Где живу́т дя́дя Никола́й и тётя Ната́ша? 6. О чём иногда́ расска́зывает дя́дя Никола́й?

c) Beantworte folgende Fragen in ganzen Sätzen:

1. Кака́я э́то семья́? (groß). 2. Како́й э́то телеви́зор? (neu). 3. Каки́е э́то самолёты? (alt). 4. Кака́я э́то тётя? (gutmütig). 5. Каки́е э́то стра́ны? (klein, nicht groß). 6. Каки́е э́то го́ры? (hoch). 7. Како́й э́то уро́к? (erster). 8. Како́е э́то мо́ре? (schwarz). 9. Кака́я э́то учи́тельница? (jung). 10. Каки́е э́то кинофи́льмы? (sowjetisch).

d) Schreibe nachstehende Aufgaben ab und setze Betonungszeichen:

Семьсот двадцать девять минус триста пятнадцать = четыреста четырнадцать. Восемь тысяч минус сто = семь тысяч девятьсот. Восемьсот восемьдесят три плюс сорок четыре = девятьсот двадцать семь. Пять тысяч минус три тысячи = две тысячи.

e) Beantworte folgende Fragen in ganzen Sätzen:

1. Ско́лько киломе́тров от Ленингра́да до Москвы́? (ungefähr 640 km). 2. Ско́лько киломе́тров от Ми́нска до Ки́ева? (ungefähr 440 km). 3. Ско́лько киломе́тров от Москвы́ до Ерева́на? (ungefähr 1800 km). 4. Ско́лько киломе́тров от Москвы́ до Му́рманска? (ungefähr 1500 km). 5. Ско́лько киломе́тров от Москвы́ до Волгогра́да? (ungefähr 900 km). 6. Ско́лько киломе́тров от Москвы́ до Владивосто́ка? (ungefähr 6400 km).

f) Bilde bejahend und verneinend je 10 Sätze im Präteritum und Futurum.

Muster: У инжене́ра был телеви́зор.
У инжене́ра не́ было телеви́зора.
У инжене́ра бу́дет телеви́зор.
У инжене́ра не бу́дет телеви́зора.

У	инжене́р дя́дя мы я тётя роди́тели	был была́ бы́ло бы́ли бу́дет бу́дут	телеви́зор библиоте́ка письмо́ часы́ дом журна́лы

у	Андре́й Тама́ра она́ Оле́г он они́	был была́ бы́ло бы́ли бу́дет бу́дут	друг соба́ка кре́сло кни́ги велосипе́д автомоби́ли

g) Beantworte in ganzen Sätzen folgende Fragen zu den Texten 3 und 4 der Lesestoffe:

1. Что вы зна́ете о господи́не и о госпоже́ Кру́зе? 2. Куда́ они́ е́дут? 3. Е́дут ли они́ по́ездом? 4. Куда́ они́ летя́т на самолёте? 5. Ско́лько киломе́тров от Ленингра́да до Ки́ева? 6. Ско́лько дней они́ бу́дут в Волгогра́де и в Москве́?

h) Übersetze:

1. Unweit von uns wohnt mein Freund Viktor. 2. Die Eltern Viktors wohnten drei Jahre (lang) in Wolgograd. 3. Der Vater Viktors ist Geologe. 4. Er arbeitet fern im Osten des Landes, unweit von Wladiwostok. 5. Viktor liest gern englische Zeitungen. 6. Manchmal sehen wir zusammen fern. 7. Die Eltern Viktors haben einen großen neuen Fernseher. 8. Herr Kruse ist Deutscher. 9. Frau Schmidt ist eine Deutsche. 10. Hamburg ist eine deutsche Stadt. 11. Wir fliegen nach Hamburg. 12. Unsere Familie fährt aufs (in das) Dorf. 13. Das wird eine schöne Reise sein. 14. Von Leningrad bis Chabarowsk sind es ungefähr 6200 Kilometer. 15. Unsere neuen Lehrer sind jung. 16. Moskau ist eine sehr alte Stadt. 17. Guten Tag, Onkel Nikolai, wie geht es dir? 18. Ist das deine erste Reise an die See (zum Meer)? 19. Ja, das ist meine erste Reise, wir fliegen mit dem Flugzeug nach Leningrad. 20. Fedja ist jetzt in der Klasse der erste Schüler. 21. Kennst du die Hauptstadt der Ukraine? 22. Ich kenne sie, die Hauptstadt der Ukraine ist Kiew.

14

1. Письмо́ из Му́рманска в Тбили́си

Здра́вствуй, дорого́й друг!

Пишу́ я тебе́ из Му́рманска. Далеко́, далеко́ от меня́ до тебя́! От Му́рманска до Тбили́си, я смотре́л на ка́рте, приблизи́тельно 3100 киломе́тров.
В ко́мнате, где я пишу́, тепло́, но на у́лице стои́т холо́дная пого́да. У нас на се́вере тепе́рь зима́. На у́лицах и в сада́х лежи́т снег.
За́втра я лечу́ на самолёте в Арха́нгельск. Я тебе́ уже́ неда́вно писа́л, что в Арха́нгельске живёт мой де́душка. Он уже́ стар. Ему́ 70 лет, но он ещё совсе́м здоро́в. У него́ есть ма́ленькая кварти́ра. В кварти́ре две ко́мнаты и ку́хня. В ко́мнатах тепло́. Я хочу́ жить у де́душки три неде́ли.
Како́е у вас тепе́рь вре́мя го́да? Кака́я стои́т пого́да? Как ты живёшь? Есть ли у вас уже́ кварти́ра? Что де́лает твоя́ сестра́ Ни́ночка?

Приве́т тебе́ и роди́телям! Твой Ко́ля

2. Письмо́ из Тбили́си в Му́рманск

Дорого́й Ко́ля!

Я сижу́ в ко́мнате за столо́м. На столе́ лежи́т твоё письмо́. Большо́е спаси́бо!
Когда́ у вас на се́вере ещё зима́, когда́ у вас ещё всю́ду лежи́т снег, тогда́ у нас на ю́ге СССР уже́ друго́е вре́мя го́да. У нас весна́. Пого́да хоро́шая, дни уже́ тёплые. Со́лнце све́тит, в сада́х пою́т пти́цы. Неда́вно я с това́рищами уже́ был в гора́х.
Ты спра́шиваешь, есть ли у нас кварти́ра? У нас здесь ещё нет кварти́ры. Мы тепе́рь хоти́м стро́ить ма́ленький дом. Мой дя́дя Ива́н — инжене́р. Он ещё мо́лод, но уже́ стро́ил мно́го домо́в. Он отцу́ помога́ть бу́дет.
Мы все здоро́вы, то́лько ма́ма неда́вно неде́лю была́ больна́. Но тепе́рь она́ опя́ть здоро́ва.
На́ша Ни́ночка в шко́ле рабо́тает хорошо́. Она́ о́чень внима́тельна. По́сле уро́ков она́ ча́сто помога́ет подру́гам. Ей тепе́рь уже́ 10 лет.

Будь здоро́в! Твой Рома́н

3. Ле́то

Тепе́рь хоро́шая пора́. Со́лнце све́тит почти́ ка́ждый день. Тепло́, да́же о́чень тепло́. Ле́то.

Вот у реки́ небольша́я дере́вня. Недалеко́ от дере́вни поля́ и леса́. На поля́х рабо́тают колхо́зники.

На́ша семья́ живёт в го́роде, но ка́ждый год ле́том, во вре́мя кани́кул, мы отдыха́ем в дере́вне.

Моё и́мя — Никола́й. Моя́ фами́лия — Семёнов. Мои́ друзья́ зову́т меня́ Ко́ля. Мне семна́дцать лет. Я ле́том охо́тно живу́ далеко́ от го́рода в дере́вне.

У́тром я встаю́ совсе́м ра́но и иду́ к реке́. От до́ма, где мы живём, до реки́ — недалеко́. Я люблю́ пла́вать. Вода́ реки́ ле́том тёплая. Ка́ждое у́тро я пла́ваю три́дцать мину́т.

Роди́тели встаю́т по́сле меня́. В во́семь часо́в утра́ мы все вме́сте за́втракаем. Пото́м я с роди́телями гуля́ю в по́ле и́ли в лесу́. Иногда́ мы де́лаем прогу́лки. В час дня мы обе́даем.

Ка́ждый ве́чер я иду́ с отцо́м пла́вать. Оте́ц уме́ет хорошо́ пла́вать.

Мы у́жинаем в семь часо́в.

Так мы ка́ждое ле́то отдыха́ем четы́ре неде́ли.

4. Фе́дя бо́лен.

— До́брое у́тро, Фе́дя!
— До́брое у́тро, Оле́г!
— Ты не идёшь со мной гуля́ть в лес?
— Нет, не могу́.
— Что с тобо́й? Почему́ не мо́жешь?
— Я не могу́, потому́ что сего́дня на у́лице хо́лодно, а я немно́го бо́лен.
— Сего́дня совсе́м не хо́лодно, да́же тепло́. Ещё ле́то, а не о́сень.
— Не могу́, мне на́до лежа́ть. У меня́ вчера́ была́ высо́кая температу́ра. Ка́ждый день к ве́черу ко мне прихо́дит до́ктор. Он говори́т, что мне на́до бу́дет лежа́ть ещё не́сколько дней и́ли да́же неде́лю.
— Ну, е́сли тебе́ на́до лежа́ть, тогда́ на́до лежа́ть. Отдыха́й! Хорошо́, что ты чита́ть мо́жешь. У тебя́ есть кни́ги?
— Есть да́же мно́го книг. Я могу́ их брать из библиоте́ки отца́. У отца́ совсе́м но́вая библиоте́ка.
— Э́то хорошо́. Что я ви́жу? Мои́ часы́ пока́зывают уже́ оди́ннадцать часо́в. Мне ну́жно идти́. До свида́ния!

5. Фе́дя опя́ть здоро́в.

Вчера́ у Фе́ди не́ было температу́ры. Он мог уже́ встава́ть. Ве́чером у него́ бы́ли Оле́г и Ви́ктор. Друзья́ вме́сте смотре́ли телеви́зор. Оле́г расска́зывал това́рищам о пое́здке в Оде́ссу. От Москвы́ до Оде́ссы приблизи́тельно 1120 киломе́тров. Оле́гу ско́ро опя́ть ну́жно бу́дет е́хать в Оде́ссу. В Оде́ссе живу́т дя́дя и тётя Оле́га.
Сего́дня Фе́дя по́сле обе́да пе́рвый раз был на у́лице. Он тепе́рь совсе́м здоро́в. За́втра он опя́ть бу́дет в шко́ле.

6. Разгово́ры

Хо́чешь идти́ со мной к реке́?	Не могу́, мне на́до домо́й.
Почему́ тебе́ домо́й на́до? Ещё ра́но, то́лько пять часо́в.	Мне ну́жно рабо́тать. Мы за́втра бу́дем писа́ть дикто́вку.

Ну, е́сли пи́шете дикто́вку, тогда́ тебе́ ну́жно рабо́тать. Э́то понима́ть на́до.

Послеза́втра по́сле обе́да у меня́ не бу́дет рабо́ты. Тогда́ у меня́ бу́дет вре́мя.

Почему́ Ви́ктор вчера́ опя́ть не́ был на уро́ках?

Ему́ ну́жно бы́ло идти́ к до́ктору. Он бо́лен.

Ско́лько раз приходи́л до́ктор к Ни́не?

До́ктору на́до бы́ло приходи́ть два ра́за.

Рома́н, ты сего́дня бу́дешь у дя́ди Анто́на?

Бу́ду. Сего́дня мне не на́до рабо́тать в саду́.

Была́ Тама́ра неда́вно с ва́ми в ци́рке?

Была́. Ей не на́до бы́ло помога́ть ма́ме в рабо́те.

Еле́на, почему́ ты не хо́чешь с подру́гами е́хать в го́ры?

Я не могу́, мне на́до бу́дет рабо́тать в кварти́ре. Моя́ ма́ма больна́.

Ну́жно инжене́ру е́хать в Га́мбург?

Нет, ему́ не ну́жно е́хать.

О чём Никола́й Ива́нович неда́вно расска́зывал ма́льчикам?

Он им расска́зывал о пое́здках в Волгогра́д, Днепропетро́вск, Тбили́си и Баку́.

А́ня, пла́вала ты сего́дня в реке́? Была́ вода́ тёплая?

Я два ра́за была́ в воде́. Вода́ ещё о́чень холо́дная.

Вы то́же пла́вали, Ива́н Серге́евич?

Я не пла́вал, а Ко́ля и Фе́дя могли́ пла́вать.

Куда́ иду́т колхо́зники?

Колхо́зники иду́т в по́ле.

Мы уже́ у́жинали. Где ты ещё был так по́здно?

Я был в дере́вне. Там я мог говори́ть с колхо́зниками.

О чём ты с ни́ми мог говори́ть?

Они́ мне расска́зывали о рабо́те на поля́х.

Куда́ вы хоти́те е́хать на велосипе́дах?

Пого́да хоро́шая. Мы де́лаем прогу́лку в лес.

Что де́лают твои́ бра́тья Пётр, Никола́й и Ива́н?

Они́ уже́ рабо́тают пять неде́ль. Они́ стро́ят дом.

7. Ю́мор

— Что с тобо́й, А́ня? Уже́ по́здно. Почему́ ты не идёшь в шко́лу?
— Я сего́дня не могу́, я больна́.
— А вчера́ ты ещё была́ здоро́ва.
— Да, но вчера́ у нас не́ было уро́ка матема́тики.

— Почему́ ты не сиди́шь, Фе́дя?
— Не могу́, мне па́па вчера́ ве́чером уро́ки[1] объясня́л.

Бори́с спра́шивает Ле́ночку:
— Кто всё ви́дит, кто всё слы́шит[2], кто всё зна́ет?
— Сосе́дка[3], — отвеча́ет де́вочка.

[1] уро́ки (Pl.) Schularbeiten. [2] слы́шит hört. [3] сосе́дка Nachbarin.

Übungen

a) Beantworte in ganzen Sätzen folgende Fragen zu den Texten 1 und 2 der Lesestoffe:

1. Где живу́т Ко́ля и Рома́н? 2. Что расска́зывает Ко́ля Рома́ну о Му́рманске? 3. Куда́ он хо́чет лете́ть? 4. Как живёт де́душка Ко́ли? 5. О чём расска́зывает Рома́н Ко́ле? 6. Где Рома́н неда́вно был с това́рищами? 7. Почему́ оте́ц Рома́на бу́дет стро́ить дом? 8. Как рабо́тает Ни́ночка в шко́ле?

b) Bilde 15 Sätze im Präteritum. Setze die nach dem Prädikat stehenden Substantive in die notwendige Form a) des Singulars und b) des Plurals.

Muster: Учи́тель пока́зывал ма́льчику ка́рту.
Учи́тель пока́зывал ма́льчикам ка́рты.

учи́тель учи́тельница дире́ктор дя́дя Андре́й колхо́зник оте́ц	пока́зывать	ма́льчик де́вочка учени́к учени́ца	ка́рта мо́ре гора́ столи́ца по́ле ко́мната

c) Bilde 20 Sätze im Präteritum. Setze die nach dem Prädikat stehenden Substantive in die notwendige Form des Plurals.

Muster: **Ива́н Петро́вич расска́зывал учителя́м о журна́лах.**

Ива́н Петро́вич Еле́на Серге́евна Фёдор Никола́евич А́нна Ви́кторовна	расска́зывать	учителя́ доктора́ това́рищи колхо́зники инжене́ры роди́тели	о об	журна́лы стра́ны пое́здки пти́цы кварти́ры автомоби́ли

d) Bilde 15 Sätze im Präsens. Setze die nach dem Prädikat stehenden Substantive in die notwendige Form des Plurals.

Muster: **Они́ говоря́т с доктора́ми.**

они́ мы роди́тели ты вы милицио не́ры	говори́ть	с	доктора́ учителя́ колхо́зники учи́тельницы директора́ де́вочки

e) Setze die in Klammern stehenden Substantive in die notwendige Form des Plurals:

1. Де́вочки и ма́льчики пи́шут (авторучка). 2. А́ня и Ле́ночка хоте́ли идти́ к (подру́га). 3. Инжене́р расска́зывал (ма́льчик) и (де́вочка) о (пое́здка) в Хаба́ровск и Владивосто́к. 4. В (лес) лежи́т снег. 5. На уро́ке А́нна Анто́новна послеза́втра хо́чет говори́ть о (пти́ца). 6. Ива́н и Ви́ктор писа́ли (роди́тели) мно́го пи́сем. 7. Колхо́зники ле́том рабо́тают на (по́ле). 8. Господи́н и госпожа́ Шмидт у́жинали вме́сте с (учи́тель) и (учи́тельница). 9. Роди́тели бы́ли в (столи́ца). 10. Де́вочки из дере́вни гуля́ли с (подру́га) в по́ле. 11. Инжене́ры рабо́тают на (заво́д). 12. Лю́ба расска́зывала о (кани́кулы) и о (пое́здка) в Арха́н-

гельск, Тбили́си и Баку́. 13. Дире́ктор даёт (учени́к) и (учени́ца) бума́гу. 14. Мы мо́жем е́хать в Ленингра́д на (автомоби́ль). 15. Ко́ля и Серге́й расска́зывают о (прогу́лка) на (велосипе́д). 16. Оле́г ра́ньше мог отдыха́ть вме́сте с (роди́тели). 17. Я не хочу́ говори́ть с (милиционе́р). 18. Дя́дя и тётя во вре́мя ле́та могли́ ча́сто гуля́ть в (лес).

f) Bilde zu den in Klammern stehenden Langformen der Adjektive die dem Satz entsprechende Kurzform:

1. Когда́ Бори́с бу́дет (здоро́вый)? 2. Сего́дня он ещё (больно́й), а послеза́втра, говори́т до́ктор, он опя́ть бу́дет (здоро́вый). 3. Ли́да и Ни́на (больно́й). 4. Э́ти газе́ты не (но́вый). 5. Но́вая кварти́ра роди́телей (хоро́ший). 6. Де́душка Ко́ли уже́ (ста́рый). 7. Ба́бушке се́мьдесят пять лет, она́ (ста́рый). 8. Ле́на (больно́й), а Ни́ночка (здоро́вый). 9. Колхо́знику три́дцать оди́н год, он ещё (молодо́й). 10. Бума́га (бе́лый). 11. На́ша соба́ка (ста́рый). 12. Ма́ма Ири́ны была́ (больно́й). 13. Э́та гора́ (высо́кий). 14. Э́тот магази́н на у́лице Ре́пина (но́вый). 15. Моя́ ба́бушка (до́брый). 16. Ива́н, будь так (до́брый) и иди́ к тёте Ни́не! 17. Рома́н и Тама́ра, бу́дьте так (до́брый) и иди́те к дя́де Никола́ю. 18. Мы все (здоро́вый).

g) Bilde zu den in Klammern stehenden Infinitiven **хоте́ть** und **мочь** die notwendigen Formen des Präsens und Präteritums:

1. Мои́ бра́тья (хоте́ть) стро́ить небольшо́й дом. 2. Ю́ра (хоте́ть) пла́вать в реке́. 3. Колхо́зник ле́том не (мочь) отдыха́ть. 4. Во вре́мя зимы́ мы не (мочь) игра́ть в сада́х. 5. Я (хоте́ть) смотре́ть телеви́зор. 6. Моя́ сестра́ не (мочь) знать господи́на Кру́зе. 7. Друзья́ (хоте́ть) помога́ть Серге́ю. 8. Почему́ ты не (хоте́ть) е́хать на велосипе́де? 9. Я не (мочь), потому́ что у меня́ нет велосипе́да. 10. Алексе́й, почему́ ты не (хоте́ть) у́жинать? 11. Я не (мочь), я не совсе́м здоро́в. 12. Ученики́ не (хоте́ть) писа́ть карандаша́ми.

h) Lies die im Präsens stehenden unpersönlichen Sätze und übertrage sie genau ins Deutsche. Setze sie ins Präteritum und ins Futurum. Verneine die Sätze 5 bis 10.

1. Ма́ме ну́жно рабо́тать в кварти́ре. 2. Отцу́ на́до стро́ить дом. 3. Учи́телю на́до счита́ть. 4. Колхо́зникам ну́жно рабо́тать в по́ле. 5. Ви́ктору на́до у́жинать. 6. До́ктору ну́жно лете́ть на самолёте. 7. Ученика́м ле́том ну́жно отдыха́ть в дере́вне. 8. Мне ну́жно е́хать в Оде́ссу по́ездом. 9. Ему́ на́до приходи́ть к нам. 10. Инжене́ру на́до ра́но встава́ть.

i) Schreibe die nachstehenden Sätze ab und setze Betonungszeichen:

1. Во время зимы колхозники не работают на полях. 2. Госпожа Шмидт — немка, ей двадцать девять лет, она хочет ехать в Советский Союз. 3. Девять недель у нас стояла холодная зима. 4. Мой брат Федя ещё совсем маленький. 5. Коля и Виктор хотят лететь на самолёте. 6. На севере уже зима, а на западе ещё осень. 7. В лесу пели птицы. 8. У нас в Москве была тёплая погода, солнце светило. 9. У нас было тёплое, даже очень тёплое лето. 10. Во время весны Николай хочет ехать на Кавказ. 11. На улицах Архангельска всюду лежал снег. 12. Ольга умеет хорошо плавать. 13. Родители хотят ужинать в семь часов. 14. Ученики делали прогулки в лес и к реке. 15. У Антона была высокая температура, ему надо было лежать. 16. Тебе послезавтра не надо будет работать. 17. Иди домой, когда хочешь. 18. У нас небольшая, но очень хорошая квартира. 19. Они могут ехать в СССР.

k) Übersetze: Gespräche

1. Lida, wo warst du gestern?	Gestern war ich zu Hause, ich war krank.
Hast du mit einem Arzt (Doktor) gesprochen?	Ich wollte mit ihm sprechen.
Und warum hast du nicht mit ihm gesprochen?	Er war nicht zu Hause; man sagte mir, daß er in der Klinik war.
Hattest du hohe Temperatur?	Nein, ich hatte keine Temperatur.
2. Was für ein Tag ist heute?	Heute ist ein sehr kalter Tag.
Scheint die Sonne?	Nein, sie scheint nicht.
Liegt auf den Straßen Schnee?	Ja, überall liegt Schnee.
War es gestern warm?	Ja, gestern war ein warmer Tag.

3. Haben Sie eine Wohnung?	Nein, ich habe keine Wohnung.
Baut man bei Ihnen Wohnungen?	Ja, man baut Wohnungen.
Baut Ihr Vater ein Haus?	Ja, er baut sogar ein großes Haus.
4. Müssen Sie nach Hamburg fahren, Herr Kruse?	Nein, ich brauche nicht nach Hamburg zu fahren.
Aber Sie mußten nach Berlin (Берли́н) fliegen?	Ja, ich war zwei Wochen in der Hauptstadt.

15

1. Здесь идёт уро́к.

Здра́вствуйте, дороги́е друзья́! Сего́дня у нас бу́дет интере́сный уро́к. Мы бу́дем говори́ть то́лько по-ру́сски. Вы ведь уже́ почти́ год изуча́ете ру́сский язы́к. Вы зна́ете мно́го слов, зна́ете та́кже грамма́тику. Ка́ждый из вас уме́ет уже́ хорошо́ писа́ть и чита́ть по-ру́сски. Но вы та́кже уме́ете немно́го говори́ть.

Я, как ва́ша учи́тельница, ду́маю, что мы сего́дня мо́жем рабо́тать так: Сперва́ я вас бу́ду спра́шивать, а вы мне бу́дете дава́ть отве́ты. Пото́м ка́ждый из вас мо́жет свобо́дно расска́зывать о чём он хо́чет, наприме́р, как его́ зову́т, ско́лько ему́ лет, где и как он живёт, что и́ли кого́ он ви́дел, что де́лал в свобо́дное вре́мя, где он был, где и с кем гуля́л, где и с кем игра́л, с кем говори́л, кому́ помога́л, что слу́шал в ра́дио и так да́лее.

Е́сли вы бу́дете говори́ть непра́вильно, я бу́ду вам помога́ть. Но ка́ждый из вас та́кже мо́жет помога́ть това́рищу. Мы друг дру́гу бу́дем исправля́ть оши́бки. На́до говори́ть то́лько по-ру́сски.

Есть у вас ещё вопро́сы? — Ну, я ви́жу, что у вас нет вопро́сов. Тогда́ мы мо́жем начина́ть. Говори́те, пожа́луйста, ме́дленно и гро́мко! Я то́же бу́ду говори́ть совсе́м ме́дленно.

2. Разгово́ры по-ру́сски

СТА́РЫЕ ГОРОДА́

Ви́ктор, вчера́ в газе́те была́ интере́сная статья́ о столи́це СССР Москве́. Ты статью́ чита́л?

Чита́л. Статья́ была́ в газе́те „Сове́тская Росси́я". Я тепе́рь зна́ю, что Москва́ о́чень ста́рый го́род.

Ско́лько лет го́роду Москве́?

Москве́ почти́ восемьсо́т два́дцать лет.

А кто из вас зна́ет, ско́лько лет, наприме́р, го́роду Берли́ну? Пожа́луйста, Ни́на.

На́ша столи́ца та́кже о́чень ста́рый го́род. Берли́ну почти́ семьсо́т три́дцать лет.

Ты говори́шь о́чень ти́хо, Ни́на! Мы тебя́ пло́хо понима́ем. Говори́, пожа́луйста, гро́мко!

Извини́те, Еле́на Серге́евна, я тепе́рь бу́ду говори́ть гро́мко. Вы меня́ бу́дете лу́чше понима́ть.

АНТО́Н ИЗУЧА́ЕТ ФРАНЦУ́ЗСКИЙ ЯЗЫ́К.

Анто́н, когда́ я неда́вно по́сле шко́лы шла по у́лице домо́й, я тебя́ ви́дела. Куда́ ты так бы́стро шёл?

Я шёл в библиоте́ку. Я ведь тепе́рь изуча́ю францу́зский язы́к, а в библиоте́ке есть но́вые францу́зские кни́ги.

Есть ли у тебя́ уже́ францу́зский слова́рь?

Есть, да́же совсе́м но́вый.

Он до́рого сто́ил?

Слова́рь сто́ил два рубля́.

Говорю́ я о́чень бы́стро? Вы всё понима́ете, что я говорю́?

Нет, вы не говори́те бы́стро, вы говори́те да́же ме́дленно. Мы вас хорошо́ понима́ем.

ЕЛЕ́НА СЕРГЕ́ЕВНА БУ́ДЕТ ПОМОГА́ТЬ.

А́ня, у тебя́ в дикто́вке о́чень мно́го оши́бок. Ты ма́ло до́ма рабо́тала. Ра́ньше ты писа́ла лу́чше. Что с тобо́й?

Извини́те, пожа́луйста, я была́ больна́. Мне не́сколько дней на́до бы́ло лежа́ть. В э́то вре́мя я не могла́ рабо́тать.

Ну, е́сли ты была́ больна́, приходи́ послеза́втра ко мне на кварти́ру. Мы вме́сте бу́дем исправля́ть оши́бки.

Большо́е вам спаси́бо, Еле́на Серге́евна, что вы мне помога́ть хоти́те. Я та́кже грамма́тику ещё не совсе́м понима́ю.

Всё бу́дет, всё бу́дет! Приходи́ в четы́ре часа́.

Послеза́втра в четы́ре часа́ я бу́ду у вас.

ДНИ НЕДЕ́ЛИ

Вы уже́ зна́ете дни неде́ли по-ру́сски?

Нет, мы их ещё не зна́ем.

Пе́рвый день неде́ли — понеде́льник, а второ́й — вто́рник. Како́й день сего́дня?

Сего́дня вто́рник, второ́й день неде́ли. Вчера́ был понеде́льник — пе́рвый день неде́ли.

А како́й день бу́дет за́втра?

За́втра бу́дет тре́тий день неде́ли.

Пра́вильно. Тре́тий день неде́ли — э́то среда́.

Среда́ по-неме́цки „Mittwoch“, а по-англи́йски „Wednesday“.

Како́й день бу́дет послеза́втра?

Послеза́втра бу́дет четвёртый день неде́ли.

Четвёртый день неде́ли — э́то четве́рг. Каки́е дни неде́ли ты тепе́рь уже́ зна́ешь, Ири́на?

Понеде́льник, вто́рник, среда́, четве́рг. Я да́же уже́ зна́ю пя́тый день. Пя́тый день — э́то пя́тница.

О́чень хорошо́. Шесто́й день неде́ли — суббо́та. Вы все зна́ете сло́во „Sabbat“?

Я понима́ю ваш вопро́с. Ру́сское сло́во „суббо́та“ идёт от сло́ва „Sabbat“.

Седьмо́й день неде́ли — э́то воскресе́нье.

В воскресе́нье лю́ди не рабо́тают. Э́то свобо́дный день.

Ско́лько дней име́ет неде́ля?

Неде́ля име́ет семь дней.

А ско́лько дней име́ют ме́сяц и год? Пожа́луйста, отвеча́й, Но́рберт!

Ме́сяц име́ет три́дцать дней и́ли три́дцать оди́н день, а год име́ет три́ста шестьдеся́т пять дней.

3. О чём расска́зывали ученики́.

Моё и́мя Франк, моя́ фами́лия Ро́зе. Мне тепе́рь шестна́дцать лет, но ско́ро мне бу́дет уже́ семна́дцать. Я не́мец. Мои́ роди́тели живу́т в Берли́не, а я живу́ у дя́ди в Га́мбурге. Неда́вно я был во́семь дней у роди́телей в Берли́не. Там у меня́ есть мно́го друзе́й и това́рищей. — Когда́ бу́дет весна́, я хочу́ е́хать на юг.
Меня́ зову́т Ани́той. Моя́ фами́лия Шульц. Я не́мка. Когда́ у меня́ свобо́дное вре́мя, я охо́тно смотрю́ телеви́зор. В четве́рг, наприме́р, пока́зывали сове́тский кинофи́льм „Ти́хий Дон“. Ле́том я вме́сте с подру́гами ча́сто де́лаю прогу́лки на велосипе́де. Ещё два ме́сяца, и у нас опя́ть бу́дут кани́кулы. Тогда́ мы хоти́м е́хать в дере́вню.
Меня́ зову́т Кла́ус. Мне ско́ро бу́дет восемна́дцать лет. Я изуча́ю англи́йский, ру́сский и францу́зский языки́. Во вто́рник я слу́шал францу́зские пе́сни. У меня́ есть но́вое ра́дио. Я почти́ ка́ждый день встаю́ ра́но у́тром. В шесть часо́в утра́ я могу́ слу́шать ра́дио. Когда́ у нас в Га́мбурге шесть часо́в, тогда́ в Москве́ уже́ во́семь часо́в.
Я Мари́та. Вы меня́ зна́ете. На́ша семья́ живёт в Га́мбурге уже́ четвёртый год. У нас тепе́рь хоро́шая но́вая кварти́ра. Моя́ ко́мната ма́ленькая, но тёплая. Она́ име́ет два окна́. В ко́мнате стоя́т большо́й шкаф, дива́н, стол, кре́сло и не́сколько сту́льев. Ка́ждый понеде́льник в шесть часо́в ве́чера ко мне прихо́дят мои́ подру́ги Ани́та и Анге́лика.
Меня́ зову́т Ни́ной. Когда́ я в воскресе́нье гуля́ла по у́лице, мне шла навстре́чу моя́ подру́га А́ня. Я её не ви́дела два

ме́сяца и ча́сто ду́мала о ней. А́ня была́ с роди́телями в гора́х на ю́ге страны́. Она́ расска́зывала, что у них приблизи́тельно три неде́ли стоя́ла холо́дная зима́ и что почти́ ка́ждый день шёл снег. В э́то вре́мя у нас на за́паде бы́ло ти́хо и тепло́.
Моя́ фами́лия Кра́узе, моё и́мя Ру́дольф. У меня́ есть брат. Ему́ два́дцать четы́ре го́да. Он инжене́р. Он рабо́тает недалеко́ от Га́мбурга на заво́де. У него́ о́чень интере́сная рабо́та. На заво́де, где он рабо́тает, стро́ят самолёты. Неда́вно в газе́тах писа́ли о заво́де и о самолётах. Самолёты летя́т о́чень высоко́ и о́чень бы́стро.
Моя́ фами́лия Ри́хтер, моё и́мя Ма́нфред. Извини́те, пожа́луйста, дороги́е друзья́, е́сли я бу́ду говори́ть о́чень ме́дленно. Я то́лько пе́рвый год изуча́ю ру́сский язы́к. Чита́ть я уже́ уме́ю хорошо́. Иногда́ я да́же чита́ю со словарём.
Я уже́ чита́л мно́го стате́й о СССР. С на́ми в до́ме живёт учи́тель му́зыки. Он неда́вно второ́й раз был в Москве́ и в Тбили́си. Он интере́сно расска́зывал о лю́дях в СССР, наприме́р, как они́ рабо́тают, как отдыха́ют, что они́ де́лают в свобо́дное от рабо́ты вре́мя. В шко́лах СССР изуча́ют англи́йский, неме́цкий и францу́зский языки́.

4. Переме́на

Звоно́к! На́ша учи́тельница конча́ет уро́к. Сего́дня на уро́ке бы́ло интере́сно. Мы все охо́тно говори́ли по-ру́сски. Мы ещё рабо́таем по уче́бнику, но уже́ уме́ем свобо́дно говори́ть.
Тепе́рь у нас больша́я переме́на. Мы бы́стро берём уче́бники и кладём их в су́мки. Во вре́мя переме́ны мы идём во двор. На дворе́ весна́. Пе́рвые дни весны́, пого́да хоро́шая, со́лнце све́тит, тепло́. Мы гуля́ем по́ двору.

5. Воро́на[1] и рак[2]

Лете́ла воро́на над[3] реко́й; смо́трит — в воде́ рак. Схвати́ла[4] воро́на ра́ка. Сиди́т она́ на де́реве[5] и ду́мает:
— Могу́ я тепе́рь пообе́дать[6].

Ви́дит рак, что ему́ бу́дет пло́хо, и говори́т воро́не:
— Ай, воро́на, воро́на! Твой оте́ц и твоя́ мать[7], я их знал, каки́е они́ бы́ли хоро́шие пти́цы!
— Угу́, — отвеча́ет воро́на, но де́ржит[8] ра́ка.
— И твои́ бра́тья и сёстры то́же бы́ли до́брые пти́цы!
— Угу́, — опя́ть отвеча́ет воро́на.
— Все́ они́ бы́ли хоро́шие пти́цы, но ты, воро́на, ещё мно́го лу́чше!
— Ага́, — гро́мко кри́кнула[9] воро́на, и рак упа́л[10] в во́ду.

[1] воро́на Krähe. [2] рак Krebs. [3] над (mit I.) über. [4] схвати́ть ergreifen, packen. [5] де́рево Baum. [6] пообе́дать = обе́дать. [7] мать = ма́ма. [8] де́ржит hält. [9] кри́кнуть ausrufen. [10] упа́л (er) fiel.

6. Ю́мор

— Ни́ночка, что с тобо́й? Почему́ ты пла́чешь[1]?
— Я пла́чу, потому́ что у Лю́бы ско́ро бу́дут кани́кулы, а у меня́ нет.
— Почему́ же[2] у тебя́ не бу́дет кани́кул?
— Потому́ что я ещё не хожу́[3] в шко́лу.

Милиционе́р говори́т това́рищу Смирно́ву, кото́рый перехо́дит[4] у́лицу и смо́трит в не́бо[5]:
— Граждани́н, е́сли вы не бу́дете смотре́ть туда́[6], куда́ идёте, тогда́ бы́стро попадёте[7] туда́, куда́ смо́трите!

[1] ты пла́чешь du weinst. [2] же denn. [3] я хожу́ ich gehe. [4] перехо́дит (er) überquert. [5] не́бо Himmel. [6] туда́ dorthin. [7] попадёте (Sie) werden gelangen.

Übungen

a) Schreibe die nachstehenden Texte ab und setze Betonungszeichen:

1. — Коля, у тебя есть второй и третий номера газеты „Советская Россия"?
   — Есть. Пожалуйста, бери их, я их уже читал. В газетах интересные статьи, например, о работе геологов на севере СССР, о поездке колхозников в Москву, о кинофильмах и т.д.

2. — В четверг мне не надо было идти в школу, у меня было свободное время.
   — Что ты делал в это время?
   — Я сперва играл у реки. Ты ведь знаешь Юру и Андрея, я с ними играл. А вечером я изучал французский язык. Я работаю по учебнику.

3. — Вы в пятницу едете поездом в Москву, Андрей Андреевич?
   — Нет, я лечу на самолёте.
   — Сколько часов вам надо будет лететь?
   — Я думаю, приблизительно два часа тридцать минут.
   — Сколько дней вы будете в Москве?
   — Я буду в Москве от пятницы до вторника. В воскресенье я еду на автомобиле к друзьям недалеко от Москвы.

4. — Ты ещё берёшь уроки музыки, Люба?
   — Да, беру.
   — Когда к тебе приходит учительница музыки?
   — Она ко мне приходит в среду и в четверг.

5. — Сколько слов имеет твой английский словарь?
   — Словарь имеет тридцать тысяч слов.
   — У тебя уже есть французская грамматика?
   — Нет, у меня ещё нет грамматики, у меня есть только учебник.

6. — Доброе утро, гражданин! Куда вы хотите?
— Мне надо к директору завода. Где здесь комната директора?
— Идите налево по коридору, а потом направо. Третья комната — комната директора.

b) Bilde 20 Sätze im Präsens.

Muster: У Анто́на мно́го друзе́й. У Тама́ры три подру́ги.

у	Анто́н Ю́ра Фе́дя Алексе́й Ко́ля	мно́го ма́ло два, две не́сколько четы́ре	друг това́рищ кни́га оши́бка учёбник

у	Тама́ра Аня Мари́та О́льга Лю́ба	три не́сколько оди́н пять мно́го	подру́га слова́рь каранда́ш дя́дя письмо́

c) Bilde 10 Sätze im Präsens und Präteritum.

Muster: Де́вочка ду́мает о ба́бушке.
Де́вочка ду́мала о ба́бушке.

де́вочка Никола́й дя́дя ма́льчики учени́ца	ду́мать расска́- зывать	о об	ба́бушка тётя оте́ц семья́ ма́ма

d) Setze die in Klammern stehenden Personalpronomen oder Substantive in den notwendigen Kasus:

1. Я ду́мала о (ты). 2. Ко́ля в (среда́) прихо́дит домо́й. 3. В (пя́тница) и в (суббо́та) Ли́да и А́ня бы́ли больны́. 4. К (они́)

приходи́л до́ктор. 5. В (воскресе́нье) они́ могли́ опя́ть вставáть. 6. От (вто́рник) до (суббо́та) в Тбили́си стоя́ла холо́дная, но ти́хая пого́да. 7. Она́ изуча́ет грамма́тику по (кни́га). 8. Францу́зский слова́рь лежа́л в (шкаф). 9. Иногда́ ко (я) прихо́дит мой ста́рый друг Ива́н. 10. В газе́тах мно́го стате́й о (столи́ца). 11. Самолёт лети́т на (за́пад). 12. Из (Арха́нгельск) мы хоти́м е́хать по́ездом в (Ри́га). 13. Ю́ра кладёт словари́ в (су́мка). 14. Ма́льчики игра́ли у (река́) и в (лес). 15. Э́ти статьи́ мы бу́дем чита́ть в (понеде́льник) вме́сте с (учи́тельница). 16. Ко́мната име́ла то́лько одно́ окно́, нале́во от (окно́) на (шкаф) стоя́ли ста́рые часы́. 17. Лю́ди гуля́ли по (у́лица). 18. Де́вочки игра́ли в (сад). 19. Оле́г Андре́евич расска́зывал нам о (статья́) в (журна́л). 20. Никола́й говори́л с (друг). 21. По́сле (уро́к) все ученики́ шли домо́й. 22. Во вре́мя переме́ны де́вочки гуля́ют по (коридо́р). 23. Татья́на идёт к (доска́) и бу́дет исправля́ть оши́бки. 24. На уро́ке му́зыки де́вочки пе́ли пе́сни о (весна́). 25. У (Ла́ра) хоро́ший го́лос.

e) Beantworte folgende Fragen in ganzen Sätzen:

1. О чём они́ говори́ли?	(суббо́та, ле́то, статья́)
2. С кем она́ гуля́ла?	(ма́ма, подру́ги, оте́ц)
3. На чём он пи́шет?	(бума́га, доска́, стол)
4. У кого́ ты был?	(милиционе́р, дя́дя, тётя)
5. К кому́ вы идёте?	(колхо́зники, Ко́ля, роди́тели)
6. О ком он ду́мал?	(Никола́й, семья́, ба́бушка)
7. О чём она́ спра́шивала?	(кинофи́льм, рабо́та, газе́ты)
8. От кого́ они́ шли домо́й?	(А́ня, друзья́, това́рищи)
9. С кем она́ говори́ла?	(тётя, Серге́й, друзья́)
10. Куда́ он е́дет на кани́кулы?	(мо́ре, юг страны́, дере́вня)
11. Кому́ вы объясня́ете оши́бки?	(това́рищи, учени́ца, учени́к)
12. В каки́е дни вы рабо́таете?	(вто́рник, среда́, пя́тница)
13. Когда́ ей на́до помога́ть ма́ме?	(четве́рг, суббо́та, воскресе́нье)

14. Кому́ ле́том ну́жно отдыха́ть? (учителя́, де́вочка, до́ктор)

15. Куда́ лети́т э́тот самолёт? (столи́ца, се́вер, за́пад)

16. Кому́ он писа́л пи́сьма? (гео́логи, Никола́й, де́душка)

f) Trenne folgende Wörter nach Sprechsilben:

ма́ленькая де́вочка, свобо́дные лю́ди, пя́тый уро́к, молодо́й челове́к, ста́рая учи́тельница, тре́тья переме́на, дорога́я подру́га, река́ Аму́р, Сове́тский Сою́з, Росси́я, седьмо́й но́мер газе́ты, Эльбру́с, Балти́йское мо́ре, отдыха́ть в дере́вне, неме́цкий кинофи́льм, англи́йский язы́к, ру́сские лю́ди.

g) Übersetze:

1. In der Schule arbeiten wir nach Lehrbüchern. 2. Wieviel kosteten die französischen Zeitungen? 3. Ich weiß (es) nicht. 4. Bitte, sprich nicht so leise, sprich langsam und laut. 5. Sprechen Sie nicht so schnell, ich kann Sie nicht verstehen. 6. Der kleine Junge schrieb sehr schlecht, jetzt schreibt er besser. 7. Er arbeitet schnell, du arbeitest langsam. 8. Kennt Ninotschka schon die Wochentage (Tage der Woche)? 9. Ja, sie kennt sie schon. 10. Auf den Straßen (Über die Straßen) fuhren Autos. 11. Wir kennen die Schüler und werden ihnen helfen. 12. Wieviel Stunden hat ein Tag? 13. Ein Tag hat zwölf Stunden. 14. Wir sind freie Menschen. 15. Viktor nimmt Mathematikstunden (Lektionen der Mathematik). 16. Er rechnet jetzt besser. 17. Fünf Monate (lang) wohnten meine Eltern in Wladiwostok. 18. Am Sonnabend und am Sonntag waren wir im Kino. 19. Wir sahen interessante französische Filme. 20. Muß Lida am Mittwoch wieder in die Schule gehen? 21. Nein, sie muß erst am Freitag gehen. 22. Unsere Wohnung hat sechs Zimmer, (eine) Küche und (einen) Korridor. 23. Haben Sie den Artikel über Berlin gelesen? 24. Ja, ich habe ihn schon am Dienstag gelesen. 25. Die Flugzeuge flogen sehr hoch und sehr schnell.

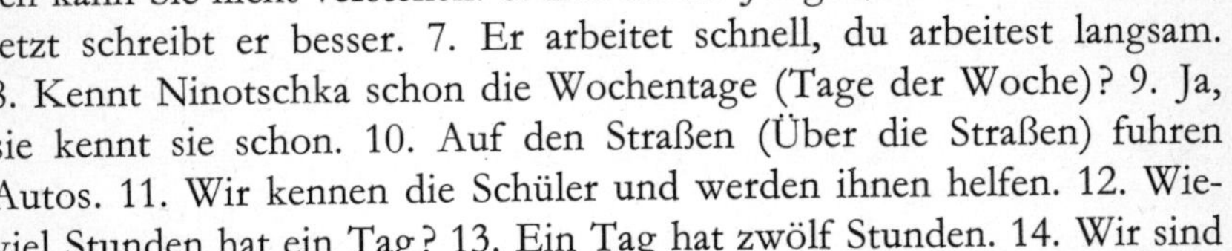

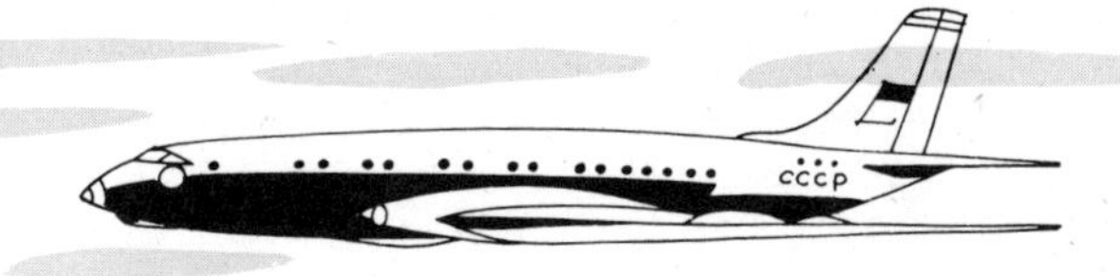

Lernvokabeln

1. Lektion

О́тто	Otto
ма́ма	Mama; Mutter (meist als Anrede)
там	dort
А́нна	Anna
Анто́н	Anton
На́та	Nata
Э́мма	Emma
кто	wer
э́то	dies, das (ist)
а	aber
ко́мната	Zimmer
окно́	Fenster
он	er
она́	sie
оно́	es

2. Lektion

Рома́н	Roman (m. Vorname)
Тама́ра	Tamara
Ни́на	Nina
и	und
Ири́на	Irina
они́	sie (Pl.)
до́ктор	Doktor, Arzt
дом	Haus
до́ма	zu Hause
говори́т	spricht, sagt
да	ja
вот *Partikel*	hier, da (bleibt zuweilen unübersetzt)
ка́рта	Karte, Landkarte
го́род	Stadt
Москва́	Moskau
Минск	Minsk (Hauptstadt der Belorussischen Sowjetrepublik)
Омск	Omsk (Stadt in Sibirien)
Томск	Tomsk (Stadt in Sibirien)

3. Lektion

Ива́н	Iwan
друг	Freund
тут	hier
коридо́р	Korridor
виси́т	hängt
Ерева́н	Jerewan (Hauptstadt der Armenischen Sowjetrepublik)
Ки́ев	Kiew (Hauptstadt der Ukrainischen Sowjetrepublik)
Чита́	Tschita (Stadt in Sibirien)
Дон	Don (Strom im Westen der Sowjetunion)
река́	Fluß, Strom
где	wo
на	auf, an, in
Днестр	Dnestr (Strom im Westen der Sowjetunion)
нет	nein
класс	Klasse
в	in
чита́ет	liest
ла́мпа	Lampe

стена́	Wand
что (*sprich:* schto)	was
па́рта	Schulbank
пена́л	Federkasten
доска́	Tafel, Brett
стул	Stuhl
стол	Tisch
Еле́на	Helena
Ли́да	Lida
стои́т	steht
карти́на	Bild
не *Partikel*	nicht
на ка́рте	auf der Karte
в кла́ссе	in der Klasse
на стене́	an der Wand
в коридо́ре	im Korridor
в ко́мнате	im Zimmer
на столе́	auf dem Tisch
на доске́	an der Tafel

4. Lektion

наш m. на́ша w. на́ше s.	unser
дива́н	Sofa, Diwan
сиди́т	sitzt
журна́л	Zeitschrift
Ната́ша	Natascha
то́же	auch
слу́шает	hört
ра́дио *unveränd.*	Radio
мы	wir
вы	ihr
Андре́й	Andrei
Алексе́й	Alexei
лежи́т	liegt
радиоаппара́т (*sprich:* радиоапара́т)	Radioapparat
мой	mein
твой	dein
ваш m., ва́ша w. ва́ше s.	euer
шко́ла	Schule
спра́шиваем	(wir) fragen
СССР *unveränd.* (*sprich:* эс/эс/эс/э́р)	UdSSR (Union der Sozialistischen Sowjetrepubliken)
отвеча́ете	(ihr) antwortet
Ленингра́д	Leningrad
Днепропетро́вск	Dnepropetrowsk (Stadt am Dnepr)
Сара́тов	Saratow (Stadt an der Wolga)
Майко́п	Maikop (Stadt am Kaukasus)
Днепр	Dnepr (Strom im Westen der Sowjetunion)
Ура́л	Ural (Fluß im Südwesten der Sowjetunion)
Ирты́ш	Irtysch (Fluß in Sibirien)
Ле́на	Lena (Strom in Sibirien)
Аму́р	Amur (Strom in Ostasien)
э́тот m.	dieser
на сту́ле	auf dem Stuhl
в шко́ле	in der Schule
на дива́не	auf dem Sofa
на реке́ Днепре́	am Dneprstrom

5. Lektion

учи́тель	Lehrer
текст	Text
Юра m.	Jura (m. Vorname)
я	ich
начина́ть	anfangen, beginnen
хорошо́	gut, schön

ты	du	ужé	schon
óчень	sehr	как	wie, als
потóм	dann, nachher, später	учи́тельница	Lehrerin
Аню́та	Anjuta	по-немéцки *Adv.*	deutsch, auf deutsch
по-рýсски *Adv.*	russisch, auf russisch	Татья́на	Tatjana
А́ня	Anja	твоя́ w.	deine
плóхо	schlecht	моя́ w.	meine
		э́та w.	diese

6. Lektion

сегóдня (*sprich:* ßewódnja)	heute	газéта	Zeitung
всé	alle	за столóм	am Tisch (sitzen)
отéц G. отцá	Vater	учéбник	Lehrbuch
сестрá	Schwester	открывáть	öffnen, aufschlagen
Лю́ба	Ljuba	звонóк	Klingel, Klingelzeichen
брат	Bruder	дéдушка	Großvater (zärtl.)
Бори́с	Boris	бáбушка	Großmutter
рабóтать	arbeiten	идти́ идý идёшь идýт	gehen
завóд	Werk, Fabrik, Betrieb	дверь w.	Tür
на завóде	im Werk		

Здрáвствуй! (*sprich:* sdraßtwuj) Guten Tag! (an eine Person gerichtet, zu der man „du" sagt)

Здрáвствуйте! Guten Tag! (an mehrere Personen gerichtet oder an eine, zu der man „Sie" sagt)

Как ты поживáешь? Wie geht es dir?

Как вы поживáете? Wie geht es euch? Wie geht es Ihnen? (an mehrere Personen gerichtet oder an eine, zu der man „Sie" sagt)

спаси́бо	danke, Dank	велосипéд	Fahrrad
пáпа	Papa, Vati	кудá	wohin
обéдать	zu Mittag essen	éхать éду éдешь éдут	fahren
вéчером	abends	Пётр G. Петрá	Peter
сегóдня вéчером	heute abend		
домóй	nach Hause		
порá	Zeit, es ist Zeit		
До свидáния!	Auf Wiedersehen!		

вме́сте	zusammen, gemeinsam
телефо́н	Telefon
Фёдор	Fedor
кино́ *unveränd.*	Kino
объясня́ть	erklären, erläutern
сло́во	Wort
ещё	noch
раз	Mal, einmal

7. Lektion

Оле́г	Oleg
учени́к G. ученика́	Schüler
у́тром	morgens
встава́ть встаю́ встаёшь встаю́т	aufstehen
ра́но	früh
учени́ца	Schülerin
кли́ника	Klinik
за́втракать за́втракаю за́втракаешь за́втракают	frühstücken
класть кладу́ кладёшь кладу́т	legen
двор	Hof
во двор	auf (in) den Hof
на дворе́	auf dem Hof; draußen
автомоби́ль	Automobil
из mit G.	aus
портфе́ль	Aktentasche
брать беру́ берёшь беру́т	nehmen
каранда́ш G. карандаша́	Bleistift
автору́чка	Füllfederhalter
тетра́дь w.	Heft
су́мка	Tasche, Schultasche
я́блоко	Apfel
бутербро́д	(belegte) Schnitte
подру́га	Freundin
Ла́ра	Lara
закрыва́ть закрыва́ю закрыва́ешь закрыва́ют	schließen
де́лать де́лаю де́лаешь де́лают	machen, tun
конча́ть конча́ю конча́ешь конча́ют	beenden, aufhören
писа́ть пишу́ пи́шешь пи́шут	schreiben
всё	alles
шкаф	Schrank
мел	Kreide
Серге́й	Sergei
Ольга	Olga
Ле́на	Lena

8. Lektion

по́сле (zeitl.) mit G.	nach
обе́д	Mittagessen
расска́зывать расска́зываю расска́зываешь расска́зывают	erzählen

по-англи́йски *Adv.*	englisch, auf englisch
сперва́	zuerst
о, об mit P.	von, über
рабо́та	Arbeit
внима́тельно	aufmerksam
дикто́вка	Diktat
ви́деть ви́жу ви́дишь ви́дят	sehen
вчера́	gestern
быть Fut. бу́ду бу́дешь бу́дут	sein
за́втра	morgen
опя́ть	wieder
ку́хня	Küche
к mit D.	zu, zur, zum
помога́ть помога́ю помога́ешь помога́ют	helfen
библиоте́ка	Bibliothek
нале́во	links, nach links
напра́во	rechts, nach rechts
кре́сло	Sessel
кни́га	Buch
бума́га	Papier
лист	Blatt
письмо́	Brief
ра́ньше	früher
жить живу́ живёшь живу́т	leben, wohnen
тепе́рь	jetzt
инжене́р	Ingenieur
что *Konjunktion* (*sprich:* schto)	daß
ско́ро	bald; schnell
кани́кулы Pl.	Ferien
у mit G.	bei, an, neben
Баку́ *unveränd.*	Baku (Hauptstadt der Aserbaidshanischen Sowjetrepublik)
моё s.	mein
твоё s.	dein

9. Lektion

но́вый, -ая, -ое; -ые	neu
знать зна́ю зна́ешь зна́ют	wissen, kennen
де́вочка	Mädchen
хоро́ший, -ая, -ее; -ие	gut, schön
изуча́ть изуча́ю изуча́ешь изуча́ют	erlernen, lernen, studieren
неме́цкий, -ая, -ое; -ие	deutsch
язы́к G. языка́	Sprache, Zunge
ма́льчик	Junge, Knabe
немно́го	ein wenig, etwas, nicht viel
мно́го	viel
понима́ть понима́ю понима́ешь понима́ют	verstehen
англи́йский, -ая, -ое; -ие	englisch
дава́ть даю́ даёшь даю́т	geben

това́рищ	Kamerad, Gefährte; Genosse, Genossin (als Anrede)
Фе́дя	Fedja
ма́ло	wenig
у́лица	Straße
Ре́пин	Repin (berühmter russ. Maler)
большо́й, -а́я, -о́е; -и́е	groß
но́мер	Nummer
три	drei
высо́кий, -ая, -ое; -ие	hoch
четы́ре	vier
пять	fünf
два	zwei
всю́ду	überall
зал	Saal
ру́сский, -ая, -ое; -ие	russisch
пожа́луйста (*sprich:* пожа́луста)	bitte
по́здно (*sprich:* по́зно)	spät
како́й, -а́я, -о́е; -и́е	was für ein
когда́	wann, als, wenn
милиционе́р	Milizionär, Polizist in der UdSSR
Пу́шкин	Puschkin (berühmter russ. Dichter)
оди́н	eins, ein

10. Lektion

то́лько	nur, erst
уме́ть уме́ю уме́ешь уме́ют	können, verstehen
с mit I.	mit
та́кже	auch, gleichfalls
петь пою́ поёшь пою́т	singen
пе́сня	Lied
друг дру́гу	einander, einer dem anderen
но	aber, sondern
игра́ть игра́ю игра́ешь игра́ют	spielen
есть	es gibt, es ist vorhanden
гармо́ника	Ziehharmonika
дрессиро́ванный, -ая, -ое; -ые (*sprich:* дресиро́ванный)	dressiert, abgerichtet
соба́ка	Hund
гуля́ть гуля́ю гуля́ешь гуля́ют	spazieren gehen
дере́вня	Dorf
отдыха́ть отдыха́ю отдыха́ешь отдыха́ют	ausruhen, sich erholen
крестья́нин	Bauer
по́езд Pl. поезда́	Zug, Eisenbahn
на кани́кулы	in die Ferien
в лесу́	im Wald
Барбо́с	Barbos (Hundename)
в саду́	im Garten
арти́ст	Künstler, Artist
дире́ктор Pl. директора́	Direktor
цирк	Zirkus
го́лос Pl. голоса́	Stimme
здесь	hier
жонглёр	Jongleur

челове́к	Mensch
везти́	fahren, transportieren
везу́	
везёшь	
везу́т	
дрова́ Pl.	Brennholz
навстре́чу	entgegen
се́но	Heu
е́сли	wenn, falls

11. Lektion

Ни́ночка	Ninotschka
счита́ть (*sprich:* щита́ть)	zählen, rechnen
счита́ю	
счита́ешь	
счита́ют	
ма́ленький, -ая, -ое; -ие	klein
люби́ть	lieben
люблю́	
лю́бишь	
лю́бят	
ка́ждый, -ая, -ое; -ые	jeder
день G. дня	Tag
на у́лице	auf der Straße; draußen
плохо́й, -а́я, -о́е; -и́е	schlecht
пого́да	Wetter
шесть	sechs (weitere Zahlen im Gramm. Beiheft)
пра́вильный, -ая, -ое; -ые *Adv.* пра́вильно	richtig
ско́лько	wieviel
плюс	plus
непра́вильно	unrichtig, falsch
ми́нус	minus
вопро́с	Frage
отве́т	Antwort
Никола́й	Nikolai
магази́н	Geschäft
сто́ить	kosten
сто́ю	
сто́ишь	
сто́ят	
рубль G. рубля́	Rubel
альбо́м	Album
дорого́й, -а́я, -о́е; -и́е *Adv.* до́рого	teuer, lieb
дешёвый, -ая, -ое; -ые *Adv.* дёшево	billig
друго́й, -а́я, -о́е; -и́е	anderer
сад	(Baum-)Garten
не́сколько	einige
кото́рый, -ая, -ое; -ые *Frage-pronomen*	welcher, der wievielte
час	Stunde
часы́ Pl. G. часо́в	Uhr
мину́та	Minute
так	so
пока́зывать	zeigen
пока́зываю	
пока́зываешь	
пока́зывают	
в (zeitl.) mit A.	um
час дня	Mittag
приве́т	Gruß
ничего́ (*sprich:* nʲitschʲewó)	nichts, macht nichts

12. Lektion

му́зыка	Musik
кото́рый, -ая, -ое; -ые *Relativpronomen*	welcher, der
и́ли	oder
матема́тика	Mathematik
разгово́р	Gespräch
смотре́ть смотрю́ смо́тришь смо́трят	schauen, sehen, betrachten
Нева́	Newa
мо́ре Pl. моря́	Meer
Балти́йское мо́ре	Ostsee
балти́йский, -ая, -ое; -ие	baltisch
кинофи́льм	Film (im Kino)
неда́вно	unlängst, neulich
почти́	fast
приходи́ть прихожу́ прихо́дишь прихо́дят	kommen
ча́сто	oft
почему́	warum
потому́ что	weil
звать зову́ зовёшь зову́т	rufen
и́мя s. G. и́мени	Vorname, Name
фами́лия	Zuname, Familienname
о́тчество	Vatername
страна́ Pl. стра́ны	Land, Reich
Ви́ктор	Viktor
се́вер	Norden
юг	Süden
восто́к	Osten
за́пад	Westen
Му́рманск	Murmansk
раз G. Pl. раз	Mal, -mal
столи́ца	Haupstadt
Оде́сса	Odessa
Кавка́з	Kaukasus
гора́ Pl. го́ры	Berg
Эльбру́с	Elbrus (5633 m)
Аму́р	Amur
Хаба́ровск	Chabarowsk
Владивосто́к	Wladiwostok
Брест	Brest
Бе́лое мо́ре	Weißes Meer
бе́лый, -ая, -ое; -ые	weiß
Чёрное мо́ре	Schwarzes Meer
чёрный,-ая, -ое; -ые	schwarz
Сове́тский Сою́з	Sowjetunion
сове́тский, -ая, -ое; -ие	sowjetisch
сою́з	Union
Росси́я	Rußland

ку́шать = essen

13. Lektion

семья́ G. семьи́	Familie
год	Jahr
небольшо́й, -а́я, -о́е; -и́е	klein, nicht groß
роди́тели Pl. G. роди́телей	Eltern
молодо́й, -а́я, -о́е; -ы́е	jung
ста́рый, -ая, -ое; -ые	alt
далеко́	fern, weit
от mit G.	von (weg)

недалеко́	unweit, nicht weit
дя́дя m. G. Pl. дя́дей	Onkel
тётя G. Pl. тётей	Tante
гео́лог	Geologe
охо́тно	gern
иногда́	manchmal
телеви́зор	Fernseher
смотре́ть телеви́зор	fernsehen
до́брый, -ая, -ое; -ые	gut, gutmütig
Ле́ночка	Lenchen
граждани́н Pl. гра́ждане	Bürger
господи́н Pl. господа́	Herr
ру́сский *Subst.* Pl. ру́сские	Russe
гражда́нка	Bürgerin
ру́сская *Subst.*	Russin
госпожа́	Frau (Anrede)
не́мец G. не́мца	Deutscher
не́мка	(eine) Deutsche
Га́мбург	Hamburg
лете́ть лечу́ лети́шь летя́т	fliegen
самолёт	Flugzeug
пое́здка	Reise, Fahrt
пе́рвый, -ая, -ое; -ые	erster
в mit A.	nach
до mit G.	bis
приблизи́тельно	ungefähr, annähernd
ты́сяча	Tausend, tausend (weitere Zahlen im Gramm. Beiheft)
киломе́тр	Kilometer
Украи́на	Ukraine
Волгогра́д	Wolgograd
на уро́ке	in der Unterrichtsstunde
уро́к	Unterrichtsstunde, Lektion
кани́кулы Pl. G. кани́кул	Ferien

14. Lektion

Тбили́си *unveränd.*	Tbilissi (Hauptstadt der Grusinischen Sowjetrepublik)
тёплый, -ая, -ое; -ые *Adv.* тепло́	warm
холо́дный, -ая, -ое; -ые *Adv.* хо́лодно	kalt
зима́ Pl. зи́мы	Winter
снег Pl. снега́	Schnee
Арха́нгельск	Archangelsk
совсе́м	ganz
здоро́вый, -ая, -ое; -ые	gesund
кварти́ра	Wohnung
хоте́ть	wünschen, wollen (siehe Gramm. Beiheft)
неде́ля	Woche
вре́мя s.	Zeit
Ко́ля	Kolja (m. Vorname)
тогда́	dann; damals
весна́	Frühling
со́лнце (*sprich:* со́нце)	Sonne
свети́ть свечу́ све́тишь све́тят	scheinen
пти́ца	Vogel
ли	ob

стро́ить стро́ю стро́ишь стро́ят	bauen
больно́й, -а́я, -о́е; -ы́е	krank
ле́то	Sommer
да́же	sogar
по́ле Pl. поля́	Feld
колхо́зник	Kolchosbauer
ле́том	im Sommer
во вре́мя	in der Zeit, während
пла́вать пла́ваю пла́ваешь пла́вают	schwimmen
вода́ Pl. во́ды	Wasser
у́тро	Morgen
в 8 часо́в утра́	um 8 Uhr morgens
прогу́лка G. Pl. прогу́лок	Ausflug
ве́чер Pl. вечера́	Abend
у́жинать у́жинаю у́жинаешь у́жинают	zu Abend essen
мочь	können (siehe Gramm. Beiheft)
о́сень w.	Herbst
на́до	(es) ist nötig, man muß
температу́ра	Temperatur
ну	nun
ну́жно	(es) ist nötig, man muß
послеза́втра	übermorgen

15. Lektion

интере́сный, -ая, -ое; -ые *Adv.* интере́сно	interessant
ведь *Partikel*	doch
грамма́тика (*sprich:* грама́тика)	Grammatik
ду́мать ду́маю ду́маешь ду́мают	denken
ду́мать о mit P.	denken an
свобо́дный, -ая, -ое; -ые *Adv.* свобо́дно	frei
наприме́р	zum Beispiel
в свобо́дное вре́мя	in der Freizeit
и так да́лее (*abgekürzt:* и т. д.)	und so weiter, usw.
исправля́ть исправля́ю исправля́ешь исправля́ют	berichtigen, verbessern
оши́бка G. Pl. оши́бок	Fehler
ме́дленный, -ая, -ое; -ые *Adv.* ме́дленно	langsam
гро́мкий, -ая, -ое; -ие *Adv.* гро́мко	laut
статья́	Artikel (z.B. in der Zeitung)
Берли́н	Berlin
ти́хий, -ая, -ое; -ие *Adv.* ти́хо	leise, still, ruhig
Извини́те!	Entschuldigt! Entschuldigen Sie!

лу́чше	besser
францу́зский, -ая, -ое; -ие (*sprich:* францу́ский)	französisch
Adv. по-францу́зски	
по mit D.	über, durch, nach
бы́стрый, -ая, -ое; -ые	schnell
Adv. бы́стро	
слова́рь	Wörterbuch
G. словаря́	
понеде́льник	Montag
второ́й, -а́я, -о́е; -ы́е	zweiter
вто́рник	Dienstag
тре́тий, -ья, -ье; -ьи	dritter
среда́ A. сре́ду	Mittwoch
четвёртый, -ая, -ое; -ые	vierter
четве́рг	Donnerstag
пя́тый, -ая, -ое; -ые	fünfter
пя́тница	Freitag
шесто́й, -а́я, -о́е; -ы́е	sechster
суббо́та (*sprich:* субо́та)	Sonnabend
седьмо́й, -а́я, -о́е; -ы́е	siebter
воскресе́нье	Sonntag
в (zeitl.) mit A.	am
лю́ди Pl.	Menschen, Leute
G. люде́й	
D. лю́дям	
I. людьми́	
P. о лю́дях	
име́ть	haben, besitzen
име́ю	
име́ешь	
име́ют	
ме́сяц	Monat
переме́на	Pause

Für den Unterricht

Die bereits in den ersten Unterrichtswochen nach Bedarf zu verwendenden Aufforderungen und Feststellungen erscheinen überwiegend in der Imperativform der 2. Person Singular. Man erhält die Imperativform der 2. Person Plural, die zugleich die Höflichkeitsform (Sie-Form) ist, indem man an die Singularform -те anfügt. Vgl. Grammatisches Beiheft, S. 20.

Повтори́ мой вопро́с! Wiederhole meine Frage! **Повтори́ ещё раз!** Wiederhole noch einmal! **Говори́ гро́мко!** Sprich laut!

Помоги́ дру́гу (подру́ге)! Hilf dem Freund (der Freundin)! **Говори́ ме́дленно!** Sprich langsam! **Говори́ отчётливо!** Sprich deutlich!

Повтори́те хо́ром! Wiederholt im Chor! **Вы́учи текст (стихотворе́ние) наизу́сть!** Lerne den Text (das Gedicht) auswendig!

Возьми́ тетра́дь (уче́бник, каранда́ш, автору́чку, су́мку)! Nimm das Heft (das Lehrbuch, den Bleistift, den Füller, die Tasche)!

Возьми́ (Подними́) мел (бума́гу, тря́пку, гу́бку, ука́зку)! Nimm (Hebe auf) die Kreide (das Papier, den Lappen, den Schwamm, den Zeigestock)!

Откро́й (Закро́й) дверь (окно́, тетра́дь, уче́бник, портфе́ль)!
Öffne (Schließe) die Tür (das Fenster, das Heft, das Lehrbuch, die Aktentasche)!

Иди́ сюда́ к доске́! Напиши́ на доске́ сло́во «пожа́луйста»!
Komm hierher zur Tafel! Schreibe an die Tafel das Wort «пожа́луйста»!

Пиши́ чётко! Попра́вь оши́бку! Поста́вь та́кже знак ударе́ния!
Schreib leserlich! Verbessere den Fehler! Setze auch ein Betonungszeichen!

Ударе́ние непра́вильно! Прочита́й э́то предложе́ние ещё раз!
Das Betonungszeichen (steht) falsch! Lies diesen Satz noch einmal!

Чита́й в уче́бнике! Чита́й в тетра́ди! Чита́й на доске́!
Lies im Lehrbuch! Lies im Heft! Lies an der Tafel!

Прочита́й пе́рвый абза́ц с нача́ла до конца́! Прочита́й загла́вие!
Lies den ersten Absatz von Anfang bis Ende! Lies die Überschrift!

Чита́й да́льше! Чита́й гро́мче! Спроси́ това́рища!
Lies weiter! Lies lauter! Frage einen Kameraden!

Переведи́ текст на неме́цкий язы́к! Доста́точно!
Übersetze den Text ins Deutsche! Genug!

Чита́й перево́д! Чита́йте все вме́сте! Вы́три до́ску!
Lies die Übersetzung! Lest alle gemeinsam! Wisch die Tafel!

Отве́ть на мой вопро́с! Дай приме́р! Чита́й по бу́квам!
Antworte auf meine Frage! Gib ein Beispiel! Buchstabiere!

Расскажи́ текст! Продеклами́руй стихотворе́ние!
Erzähle den Text! Sage das Gedicht auf!

Спо́йте пе́сню! Э́то ста́рая наро́дная пе́сня.
Singt ein Lied! Das ist ein altes Volkslied.

Поста́вь то́чку (запяту́ю, двоето́чие, тире́*,
Setze einen Punkt (ein Komma, einen Doppelpunkt, einen Gedankenstrich,

кавы́чки, ско́бки)!
Anführungszeichen, Klammern)!

Поста́вь вопроси́тельный знак (восклица́тельный знак)!
Setze ein Fragezeichen (ein Ausrufungszeichen)!

Встань! Сади́сь! Сади́тесь! Ти́ше! Не болта́й! Смотри́ сюда́!
Steh auf! Setz dich! Setzt euch! Leiser! Schwatz nicht! Schau hierher!

* *Sprich:* [тирэ́].